CANÇÃO DA VIDA

CANÇÃO DA VIDA

GABRIEL CHALITA

Copyright © 2020 Gabriel Chalita
© 2020 Casa dos Mundos/ LeYa Brasil

Todos os direitos reservados e protegidos pela Lei 9.610, de 19.02.1998.
É proibida a reprodução total ou parcial sem a expressa anuência da editora.

Produção editorial
Natalie Lima

Capa, projeto gráfico e diagramação
Kelson Spalato

Finalização
Filigrana

Dados Internacionais de Catalogação na Publicação (CIP)
Angélica Ilacqua CRB-8/7057

Chalita, Gabriel Benedito Issaac, 1969-
   Canção da vida / Gabriel Chalita. — São Paulo: LeYa, 2020.
   144 p.

ISBN 978-65-5643-018-8

1. Poesia brasileira 2. Vida 3. Filosofia I. Título

20-2358   CDD B869.1

Índices para catálogo sistemático:
1. Poesia brasileira

LeYa é um selo editorial da empresa Casa dos Mundos.

Todos os direitos reservados à
CASA DOS MUNDOS PRODUÇÃO
EDITORIAL E GAMES LTDA
R. Avanhandava, 133, cj21 - Bela Vista
01310-200 - São Paulo - SP

Para minha Anisse, que partiu quando eu fazia
as últimas revisões deste livro.
Que permaneceu.
Em mim, sem pausas.

Sumário

Apresentação 10

Canção honesta 11
Balaio 13
"Frágil como convém" 14
"Palavras" 15
Em cada canto 16
"Amar" 18
"Há noite sem luar?" 19
"O conceito" 20
Sangue 21
"Fartura" 22
"Quero distância" 23
Oficina da alma 24
"Venha brincar" 25
"Um olhar" 26
Traição 27
"Se pudéssemos voltar" 28
Fé 29
Exílio 30
"Venha fazer-me companhia" 31
"Não dou a ninguém" 32
Incômodos 33
"Caminhei desajeitado" 34
Herança 35
"Gostar de viver" 36
"Você se esqueceu" 37
Nascimento 38
"Li nos livros" 40

"Quando ouço" 41

Paixão 42

"Diga a você mesmo" 44

"Perdeu-se?" 45

Calor 46

Êxodo 47

"Quero a liberdade" 48

"Naqueles terrenos" 49

"Quem sabe" 50

Redenção 51

"Rio das nossas esquisitices" 53

"Se os nossos sentimentos secarem" 54

Escriba 55

"Não importam os estranhamentos" 56

"As palavras" 58

Tempo 59

"O amor" 60

"Saber" 61

Artista 62

"Onde está o que vivia antes do erro?" 63

"Deixe as águas" 64

Quando o amor chega 65

Cansaço 66

"Faz frio" 67

"Venha me agasalhar" 68

O que não permaneceu 69

"E ficamos sozinhos" 70

A unicidade do instante 71

E então eu me sento 72

Quando a morte vier 73

Para os que virão 75

"Silêncio" 76

"Agrediram sem piedade" 77

"Loucos?!" 78

"Esperança" 79

Talvez 80

"Em noites de luar" 81

João 82

"Desamarre o passado" 83

"Não troque o esplendor" 84

"Seu cachorro celebra" 85

Um homem e um cachorro 86

Vê além 87

"Amar" 88

A criança que há em mim 89

Autorização 90

Triste herança 91

Desculpa 92

"E Deus inventou o amor" 93

O choro de Joana 94

Aduladores 95

"Pobres" 96

"Gosto das suas rugas" 97

O domingo e você 98

"O espelho" 99

Dor 100

Escolhas 101

"Só mais um pouco" 103

"Fique" 104

Partida e chegada 105

"Ainda há uma porta" 107

"Em uma criança" 108

"Obrigado"..109

Cansaço..110

"Matérias-primas" 111

Promessas de eternidade..112

"Éramos jovens"...113

"Nos desalinhos" 114

Mãe...115

Mãos de meu pai 117

"Caminhar"...119

"Na solidão" 120

"Alimento-me" 121

Benditos sejam os nossos erros 122

"Benditos"..124

Você..125

"Peço autorização"..126

"Gosto desse gosto" 127

"Olhos no céu" 128

"Brincante"..129

"E que a escrita alimente"..130

Esperança 131

"Não se envergonhe"...132

Diferentes e iguais...133

O menino e os ratos 134

Devolvam..135

Nada...136

Despreparo...137

Um sentimento 138

Sou um homem brasileiro..139

Timidez..140

Olhares..141

Pausa..142

Apresentação

Aqui estão alguns poemas criados em momentos diferentes da minha vida. E frases anotadas nos rascunhos dos meus sentimentos.

Canção honesta

Sou compositor.
Diante de mim há algumas folhas e lápis.
Há, em algumas folhas, alguns rabiscos. Nada de novo.
Mas estão ali a me avisar que não dependem apenas de mim.
O lápis está nas minhas mãos aguardando o comando.
Há outras partes do meu corpo que exigem participar.
As mãos compreendem. Dependem elas do coração e dos
pensamentos.
É preciso começar. Não o todo. Há outras folhas já escritas
amontoadas em um depósito que, vez ou outra, posso ver.
Elas me inspiram, mas preciso tomar cuidado para que não
me prendam.
Temer o passado é devastador para quem tem nas mãos o
lápis preparado para a escrita. A escritura do mundo.
Conheço ritmos. Conheço sons. Não sou despreparado.
Leio com frequência partituras e me afeiçoo a elas.
Sei de outros compositores e de outras composições. E é importante que eu saiba. Conheço muitos desafinados, desajeitados. E conheço, também, os que, com lápis nas mãos, nada
compõem. Aguardam apenas.
Sou compositor. E não admitirei abrir mão do que tenho de
fazer. Comigo e com o mundo.
A canção da vida que embala tantos coros depende, também,
                                                          [de mim.
Não tenho a presunção de que sou eu o único compositor,
como não tenho a displicência de creditar a todos os outros,
menos a mim, a responsabilidade dos sons que haveremos
de ouvir.

A canção da vida nasce das minhas mãos e de outras tantas que, ciosas das responsabilidades, agem. Agem em harmonia. Melodiosamente. Agem nos compassos nascidos de experiências antigas e de ousadias inimagináveis.

Sou compositor. Como tantos outros. Meu destino vai além deste lápis e destes papéis. O que eu escrever servirá para orquestras de hoje e de amanhã. Ficará.

Fica sempre algo de quem escreve. Alguém haverá de encontrar, de acreditar, de fazer acontecer.

Perdoem-me se alguns trechos são regidos pela dor. Nem todas me pertencem. Escrevo o que vivi e o que vi em vidas que se cruzaram com a minha.

Observo os outros com respeito. Não invado suas histórias, mas anoto os sons nascidos de sentimentos variados.

Já vi meninas e meninos chorando por olhares não correspondidos ou por violentas ausências de compaixão. Já os vi sorrindo também. Em conquistas corriqueiras. Em poemas lidos despreocupadamente. Já vi mulheres tendo de recomeçar. Homens valentes caídos. Manchados de dor. Comovi-me com outras histórias e ocupei-me delas nas escrituras desta canção. Da canção da vida. Da minha, só faço por agradecer. Por ser cancioneiro. Por servir a arte de compor uma canção honesta.

Se tenho uma ilusão?

Melhorar o mundo.

Com a minha canção.

A canção da vida. Da minha e de tantos que cruzam os meus olhares. Privilégio meu. Aprender tanto com tantas canções. A minha está aqui. Modestamente ousada. Repito. Melhorar o mundo. Eis a utopia que me desperta para pegar este lápis, estes papéis, estes cheiros de esperança e prosseguir.

Balaio

Eis o que sou.

Um pouco de muitos.

Um. Apenas um.

E mais um inventário de sensações e intenções.

E também opiniões. Algumas corretas, outras estranhas, mas que compõem o que, então, eu sou.

Fizeram-me menor e eu permiti. Tocaram-me com delicadeza e eu me ofendi.

Dual. Contraditório. Temeroso.

Atravessaram ofensas e ausências. Das primeiras, me defendi. Das ausências, demorei a estancar o que partiu de mim.

Persegui a teimosia e diminuí em busca do que eu nem sabia.

Mas fui. Sorvi a dor sem perceber o que eu mesmo arrancava de mim. Sobrevivi. E voltei a teimar. E assim foram os meus desencantos.

Hoje, canto a canção do adeus.

Falta pouco e, embora eu saiba, prefiro o desconhecimento.

Quem sabe?

E então, talvez, recomece em outro canto.

Eis o que sou.

Um punhado de dor. Um sussurro tímido a pedir ajuda. Um olhar de enlace em busca de alguém que não desista de mim. Que apareça sem ser esperado e que permaneça. E que compreenda a ausência de palavras e até de esperança... pode ser temporário. E que desconfie quando eu desistir. Que fique.

Apenas isso.

Eis o que sou.

Um balaio de vidas que por aqui passaram. De separações. Ontem mesmo chorei a memória e ainda assim consegui amanhecer. Carências ficaram e ficarão. É o que sou. Quer mais?

Frágil como convém a um ser que pensa.

Palavras ditas sem polidez causam dor.

Em cada canto

Em cada canto,
canto a canção da vida.
Canto a minha história,
drama e comédia.
Rio dos instantes em que parecia permanecer o que,
em algum canto, doeu.
Passou.
Passa o rio dos tormentos e ficam as margens que viram.
Viro-me para mim mesmo e canto.
Nos cantos dos tempos de encanto, eu era tímido e vagaroso.
Os tempos são outros.
Eu sou outro.
Perdi a inocência, mas permaneceram em mim, inocentemen-
te, os sonhos que me moveram, movem, comoveram, como-
                                                    [vem.
As lágrimas, de dor ou alegria, ainda vêm.
Não secaram nem mesmo no deserto da solidão.
Só, fiquei; quando partiram os que partiram a confiança dos
                                                    [afetos.
Depois vieram os outros que pouca expectativa geravam.
Alguns surpreenderam. Viva a raça humana.
Conheci o recomeço e gostei.
Abri, com receio, as varandas da confiança e a luz veio.
Vivo o que me resta cantando nesse canto da minha alma a
                                    [canção da gratidão.
Valeu a luta,
valeram as despedidas e os cortes.
Não houve ensaios e, por isso, desafinei algumas vezes ou,
                                    [talvez, muitas.

Errei e continuei a cantar o meu canto.

Ora com dor, ora com alívio.

Tudo, menos desistir.

Em todos os cantos que a vida me proporcionou, ou que eu
[ousei arriscar, cantei.

Risco a palavra lamento e sublinho a palavra encanto.

Nos cortes da minha alma e nos cortes necessários de pessoas
[que me sombreavam com ausências, eu prossegui.

E cantei a generosidade para afastar a esses que pouco com-
[preendem de amor.

Amei e amo. Essa é minha história.

Uma história de um amor feito canto, em todos os cantos.

Encanto.

Amar é um ato de coragem.

Há noite sem luar?
Depende.

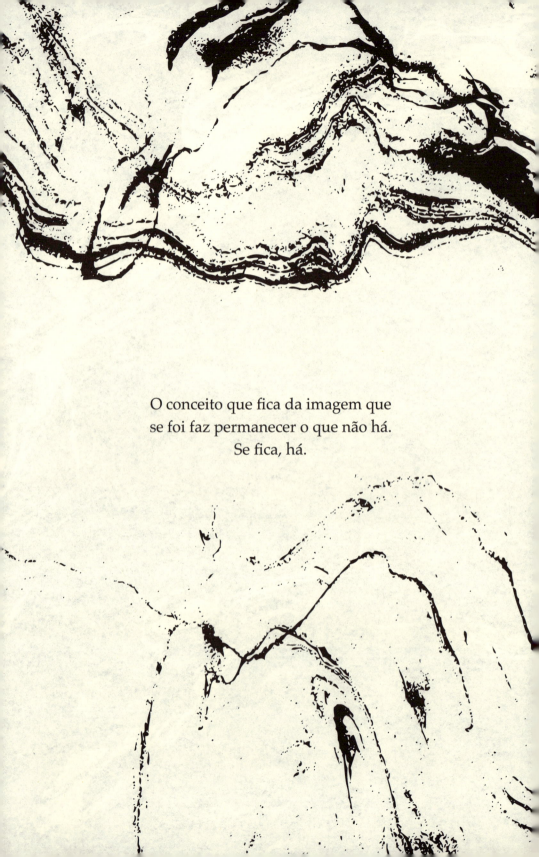

O conceito que fica da imagem que
se foi faz permanecer o que não há.
Se fica, há.

Sangue

O que mais querem de mim?
Já mostrei minhas feridas. Já chorei o tempo certo. Já disse
adeus. Já parti sem destino. E ainda assim esperam de mim
alguma coisa.
Não há nada em mim a não ser a lembrança do sangue jorrado.
A não ser a visão do corpo sem vida.
Esperança? Eu não tenho. E, por favor, não me culpem por
isso. E nem me falem de fraqueza. Seria muita ingenuidade
achar que com tudo isso eu permaneceria.
Não há nada mais a ser feito. O corpo desprovido de vida
foi um sinal de que tudo ficou longe. Era um tempo. Éramos
inteiros. E acreditávamos.
E mesmo assim desperdiçaram as nossas presenças, arrui-
naram os nossos intentos. Não encarem como corolário de
lamúrias nem considerem como teatralização de fatos menores. Não são. Quando a vida se vai, vai.
E é isso.
Se a intenção era guardar algo de mim, esqueça. Já parti. E
parti partido. E não me culpem pelo que fiz. Fui conduzido
pelas circunstâncias.
Antes, eu não era assim e nem assim seria capaz de agir não
fosse a frieza dos que de mim se aproximaram e a incompreensão dos que de mim se foram.
Se tenho algum direito, só peço que nas conversas apressadas
escolham outro assunto.

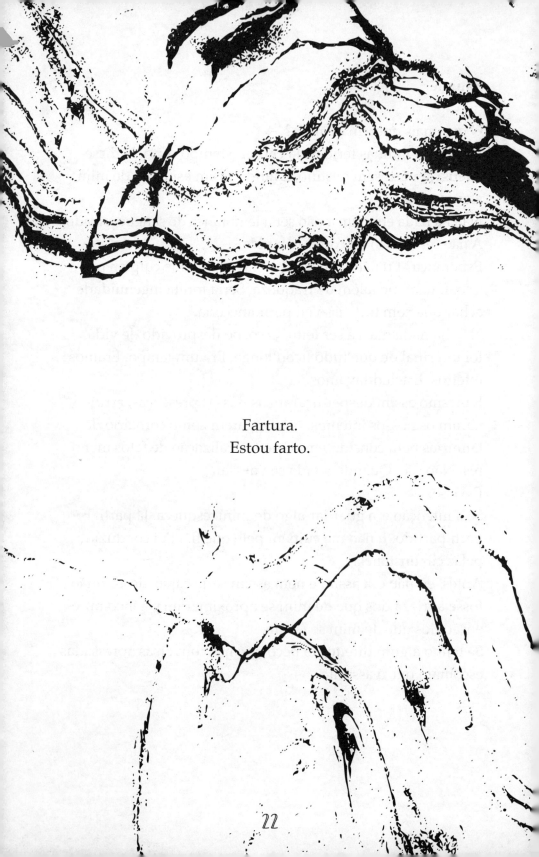

Fartura.
Estou farto.

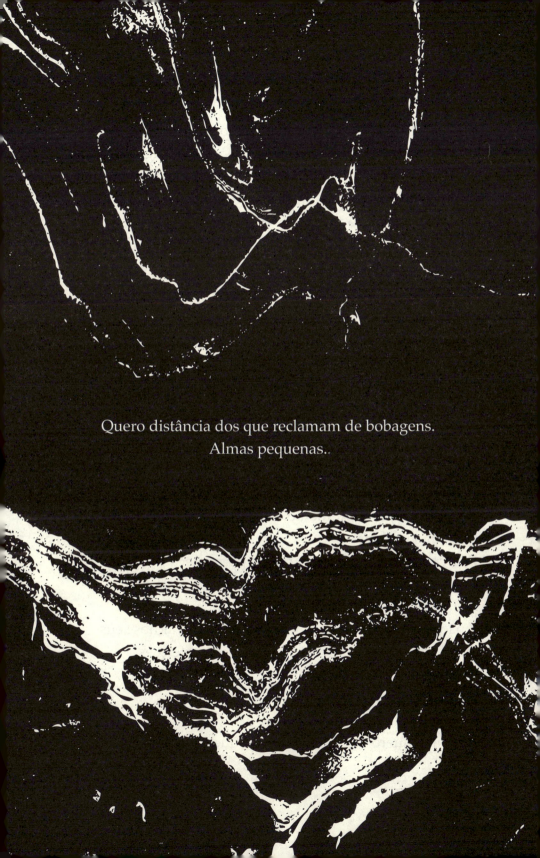

Quero distância dos que reclamam de bobagens.
Almas pequenas..

Oficina da alma

Eu lhe ofereço o que você conhece e o que você desconhece.
Eu lhe ofereço os segredos que segregam por alguma razão
[que desconheço.
Eu lhe ofereço a visão límpida da imagem. Sem maquiagem.
Sem disfarces. É só assim que poderemos permanecer por
mais tempo. É só assim que nos suportaremos. Ou isso ou
os encontros rápidos. Mesmo que prazerosos, mas rápidos.
Tudo o que for demorado terá de ser cuidadoso para não
nos ferirmos.
O que hoje é belo está apenas na voragem. No frescor do
primeiro encontro. E depois? Ou ficamos assim ou entramos
juntos na oficina da alma e elaboramos um ser que se
conserta na harmonia de cada dia.
Escolher não é fácil, principalmente quando se tem pressa.
E quando não se pensa que depois vem o depois. E é disso
que falo sem querer rascunhar o seu poema. Parece perfeito.
E talvez seja. Como todo poema quando nasce.
Nasce de algum sentimento. Mas depois se reinventa.
Cortam-se palavras.
Reescreve-se. E é assim. Para que permaneça.
Alguns desistem. Preferem a ilusão de que está bem.
Até porque só será lido uma vez ou, talvez, algumas.
E não é isso que eu quero. Quero me eternizar nos seus
afetos e recolher com você as nossas imperfeições.
Quero o amanhecer dos encontros sem abrir mão
do entardecer das nossas almas.
Hoje, somos promessa.
Amanhã, quero me atrever a dizer que somos. Apenas isso.

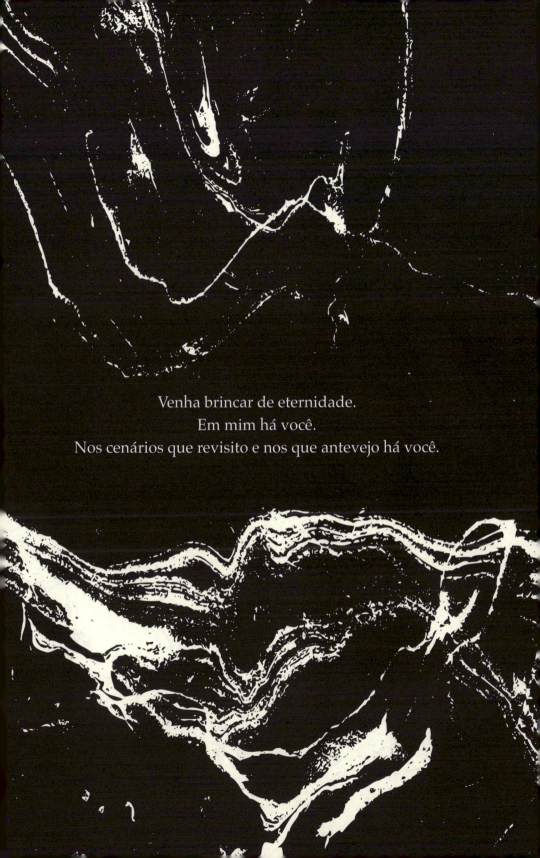

Venha brincar de eternidade.
Em mim há você.
Nos cenários que revisito e nos que antevejo há você.

Um olhar, um desejo, um vulcão.
E a razão?

Traição

Podia ter sido um sonho
Tento entender as razões. Éramos tanto. E já não somos.
Não lamento a procura. Lamento a quebra.
Fizemos o pacto da sinceridade. Cumprimos o ritual do
encontro com palavras corretas. Prenunciamos o futuro com
a maturidade dos que compreendem a renúncia. Julgamos
valer a pena viajar juntos. Sabíamos dos riscos e dos desejos
outros que nos frequentariam. Mas decidimos. Não por
exigência minha nem sua, mas por imposição dos nossos
sentimentos.
Encontramos juntos flor e pedra. Perfume e pó. E chegamos a
conversar sobre outras histórias.
E então, súbito, vem a visão. Eu reagi. Em mim mesmo. Não
houve uma agressão sequer a não ser na minha alma e nas
minhas promessas de felicidade.
Você nada disse. E nada era preciso dizer. Estava ali. Por
opção.
Estraçalhando a nossa história. Apenas nos olhamos. E a dor
não tardou a chegar.
Que pena. Podia ter sido um sonho.
Não foi.

Se pudéssemos voltar o tempo e fazer alguns arranjos...
Se pudéssemos convencer o passado a entoar outro canto...
Canto que se foi, se foi.

Fé

Vivendo, morrendo. Vivendo, morrendo.
Vivendo, morrendo. Morrendo – é assim que é. Vivendo – fé.

Exílio

Converti-me em um ser insuportável. Estou no exílio. Por opção ou imposição. Quem sabe?

Fui andarilho de promessas e, empoeirado de atalhos errados, continuei a minha busca. Deram-me pistas falsas ou talvez fosse eu um desajeitado. Fui em frente. Segui o que me diziam ou talvez o que eu pretendia. Quem sabe?!

Errei tantas vezes que nem ouso debruçar-me sobre isso. Fiquei nu e descalço por trocar o que tinha por aquilo que prometeram e nunca me deram.

Não sei se o erro foi meu ou dos outros. Sei que senti frio. E dor. Caminhei mesmo assim. Poucos me viam. Com isso, eu me livrava de alguns comentários. Fui. Eu e os meus sentimentos, que em cada entroncamento me abandonavam. Um a um. Não sei se pelas decisões erradas, ou pelo cansaço de mim mesmo ou ainda se pela ausência de possibilidades. Ausência! É só isso que quero. Ausentar de mim os pensamentos que me perseguem. Quero meu sossego. Apenas isso. Não quero as vozes que me incomodam, tampouco essas lembranças. O alvoroço, nesse silêncio, rouba-me o que me restou. O exílio.

Venha fazer-me companhia,
os outros se foram.
Tantos passaram por aqui, mas se foram.
Abandonaram-me depois das festas.
Tiveram medo das arrumações necessárias do dia seguinte.

Não dou a ninguém o poder de fechar as portas.
Nos meus cômodos e incômodos mando eu.

Incômodos

Não sei o que fiz, não sei por que fiz. Perdoe-me por ter entrado assim, sem os devidos cuidados.

Perdoe-me por ter roubado sua inocência. Sua pureza permitiu-me chegar sem incômodos. E eu não era suficientemente correto para entender o quanto de limpeza havia em você. Sujei você com minha pressa e com minhas necessidades. Nem eu sabia o quanto de perigo representava. A ânsia era tanta. Que entrei.

Arrebentei os seus sentimentos. Fui perverso, eu sei. Mas não compreendi o que fazia. Apenas queria que o desejo se acalmasse. E nisso me esqueci de você. E talvez de mim. Poderíamos ter nos olhado primeiro. Poderíamos ter apalpado as nossas intenções. Mas não. Abusei de seus vinte anos, de sua confiança e de seu pouco tempo de encontros. Agora, você me espera. E eu parto. Sem o trunfo da vitória, apesar de possuir os seus pensamentos. Parto com a inglória de ter descampado os seus sonhos. Parto covardemente, como convém a um egoísta.

Ficar? Não. Definitivamente, não posso. Há poeira demais em meu cansaço. Eu sei que, em um amanhecer, os raios ressurgirão, apesar de minha ausência. Aí, sim, eu – de fato – não estarei. Perdoe a dor que deixo a você como herança. Ela não há de permanecer para sempre.

Eu sei o que é isso. Envelheci compreendendo os desprezos. E não aprendi.

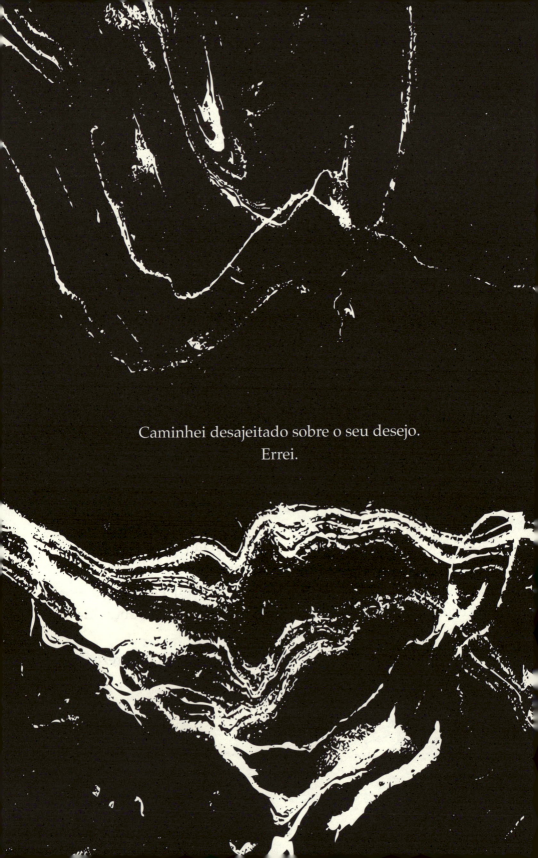

Caminhei desajeitado sobre o seu desejo.
Errei.

Herança

Decidi repartir o que tenho.
Um pouco para cada um.
Minhas esperanças, deixo para quem teve a paciência de reparar.
Minha dor reparto com quem comigo permaneceu no calvário.
Meus medos ficam distribuídos corretamente entre os que me
[deram as mãos.
Minhas dúvidas aos que me ensinaram.
Meu prazer com os que se sentaram à mesa, sem pressa.
Meu cansaço com os obreiros.
Minha solidão com os que reconhecem poesia nisso.
Sabedor dos meus fracassos, deixo a aprendizagem das per-
das para quem quer vida.
Aos que estavam comigo nas vitórias, deixo uma reflexão: e
[depois?
Os outros sentimentos ficam disponíveis para quem tiver
tempo de compreender.
E quanto ao amor...
O amor eu não posso deixar de herança. O amor é conquista-
do. Dolorosa e gloriosamente conquistado.
Fica apenas um convite.
Não desperdicem essa possibilidade.

Gostar de viver.
Eis o primeiro acorde depois do sono de antes.

Você se esqueceu de que a dor já lhe fez companhia?
Esqueceu que ela se foi?
Ela chega sem avisar, mas se não lhe dão mais atenção do que o necessário, sem avisar ela se vai.

Nascimento

Nasço a cada instante em que retiro a morte de mim.

Não aceito grilhão algum. Visto-me de valentia e vou arrancando obstáculos.

É mais fácil os teimosos se cansarem do que me assistirem
[sucumbir.
Foi sempre assim.
Criança, venci desconfianças e encontrei o meu espaço. Sem amparo, trilhei o meu destino.
A orfandade me feriu, mas serviu-me de alicerce.

Duvidaram dos meus dizeres, dissecaram os meus deslizes. Vulneraram os meus sentimentos. Minhas alternativas: render-me ao fracasso ou resistir. Resisti. Bravamente. Digo isso sem economias.
Fui adentrando espaços outros com certo receio, mas nenhum suficientemente forte para me paralisar.

E fui. Pobre e rico. Áspero e doce. Enfrentando cada momento com a decisão de prosseguir.

E quantas mortes me frequentaram...
E quantos acenos me furtaram...

Obrigado por mim mesmo. Pelo controle que assumi sobre as minhas decisões.

Aprendi, muito cedo, que o desafio era convencer a mim

mesmo, não aos outros. E descobri com isso que o caminho entre a razão e os impulsos da emoção é a segurança de não perder o rumo. Não há sentimentos indomáveis. Há fracos domadores.

Nasço com a dor de todo nascimento. Mas nasço. E olho para trás com a certeza de que valeu a pena. E se pouco me resta não importa. O que importa é o sabor de ter valido a pena a luta renhida.

Sou o que sou. Frágil como todos e forte como os que não se deixaram conduzir.

Li nos livros e nas pessoas
palavras e sentimentos.
Alimento.

Quando ouço essa canção, uma centelha de luz se acende nos meus sombrios esconderijos. Era sua imagem que refletia quando havia calor.

Paixão

Eu sei que o que você tem para me oferecer é nada.
Eu sei do meu cansaço.
Eu só não sei da demora em prosseguir.
Travessia tosca a de andar sem andar. A de pensar sem pensar.
É apenas a sua lembrança que me preenche sem me preencher.
Luta inglória contra mim mesmo.
Sim, porque você já decidiu. E eu não faço parte.
Eu sei que os seus gestos foram claros. Mas fico tentando
inventar alguma razão escondida, alguma desculpa para a
ausência.

E nisso perco os meus dias.

Fico remoendo os parcos momentos em que havia alguma
promessa. Alguma palavra doce. Algum toque mais delicado.
Foram poucos. Mas existiram. Não seria capaz de criar tanto
assim.

A desculpa da partida pareceu-me estranha. Sem cuidado
algum. Sem tempo para revisões. Partiu.

Eu quis interferir. Falei o desnecessário. Exagerei no texto e
no contexto. Chorei. Implorei. E recebi em troca o silêncio.
Incômodo silêncio de quem finge compreender.

Não há qualidades em você que justifiquem o meu querer.
Não há razão para a entrega. Onde estão seus adjetivos?
Perco-me entre acusação e defesa. Condeno-me, absolvo-me.
E então?

Ouço vozes que não me confortam. Amigos que negociam o meu regresso à vida. E, então, estanco o pranto por algum tempo. Pouco. Logo depois sou eu comigo e a teimosia. E a dor. E o injustificável.
Paixão.

Diga a você mesmo:
basta, é dia de viver.

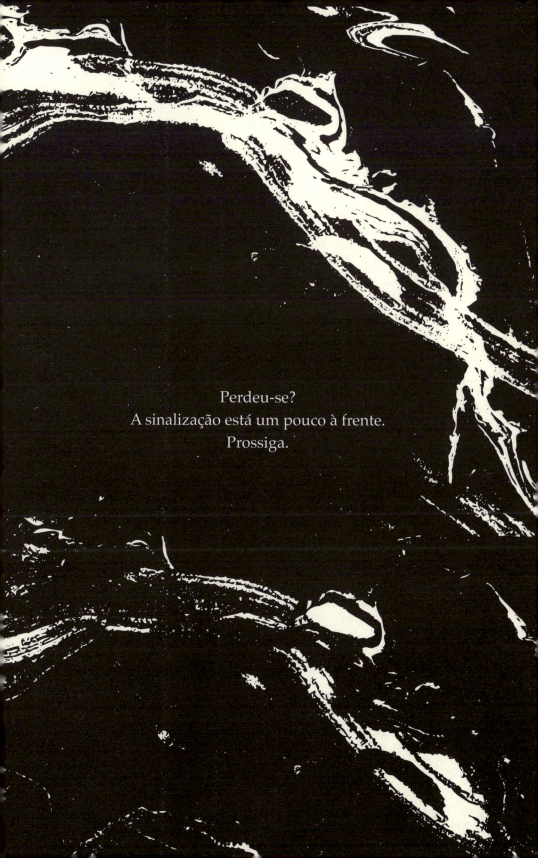

Perdeu-se?
A sinalização está um pouco à frente.
Prossiga.

Calor

Brincavam de vida, enchiam-se de encantamentos.
Olhavam-se pela primeira vez. Sempre pela primeira vez.
E havia calor.
E no calor faziam promessas. E no calor, o êxtase.
O milagroso instante.
Foi assim que tudo começou.

Êxodo

Chegou a hora da partida.
Não há razão para adiar.
Os riscos estão à espera. Mas sempre estarão.
Partir é, definitivamente, necessário.
Sei disso e não encontro motivos para explicar. É porque é.

Fui prisioneiro dessas situações. Na época, talvez eu não soubesse.
Tinha tudo de que necessitava. Será?
Foi assim que me ensinaram ou foi assim que eu aprendi.
O que conhecia, apesar das ausências, conhecia. O desconhecido é o que vem depois da partida. É a dúvida diante da liberdade. É a vastidão. O alimento diário, medido, fica para trás. O restante é surpresa.

Sair é abandonar o já conquistado. Ou o reservado. Mas sempre limitado.

Não há fronteiras na liberdade. E é disso que falo. O que tenho não me basta. E por isso parto. E por isso arrisco.
Ouso o novo como uma inadiável necessidade. Foi para isso que nasci. E aos que não se conformam, conformem-se com a ração medida, com o punhado decidido por outrem. Eu não. Eu parto. Sem nada. Apenas com a ânsia de cumprir o meu ofício. Sou desbravador. E enfrento as feras com a coragem que há em mim. Se me abaterem, pouco importa. Valeu a tentativa.

Quero a liberdade de dizer a mim mesmo:
segue o seu caminho, caminhante.

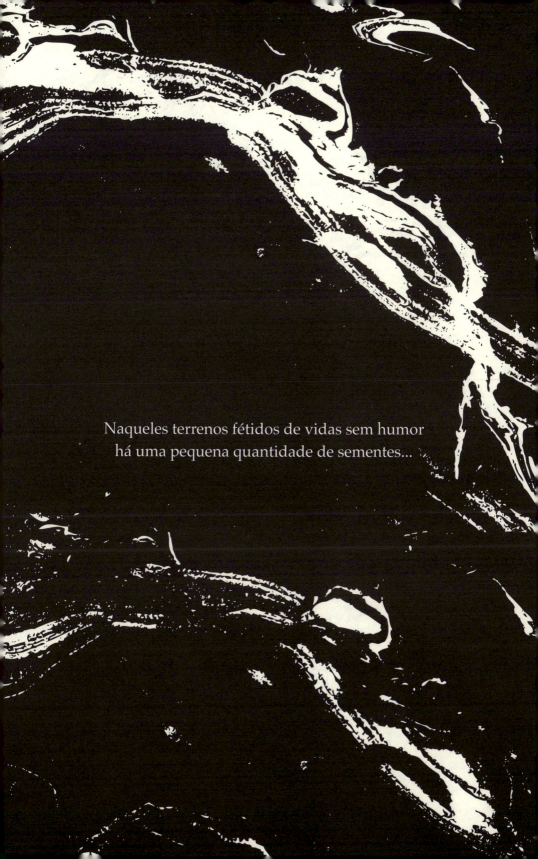

Naqueles terrenos fétidos de vidas sem humor
há uma pequena quantidade de sementes...

Quem sabe o seu sorriso convença as névoas...

Redenção

Ah, encontro sagrado!
Sereno. Leve.
Antes, eram vulcões que frequentavam minhas entranhas.
Sofri numerosas vezes. Chorei o choro amargo das saliências.
Vinham e partiam. Sem muitas explicações.

Mendiguei. Raspei o pouco que restava da minha dignidade
e implorei. Mais de uma vez.
Numerosas vezes.
E a solidão abastecida de dor.

E você chegou.
Sem avisos.
No começo, as desconfianças. Depois, a calmaria.

Como é bom sorver o doce das entregas. Sem intempéries.
Sem solavancos.

Brincamos de anoitecer quando ainda é cedo e falamos das
manhãs que ainda iremos viver quando já é tarde.

Com você, sussurro ou grito sem muita preocupação.

Não há ensaios. Tampouco há temor por uma palavra ou um
gesto mal colocados.

Se eu errar, será no seu colo que aguardarei as cicatrizes. E, se
acertar, será o mesmo colo a festejar a vitória.

Em você, entrego a paz que sinto.

Sinto uma redenção de cruzes que me obriguei a carregar.

Passou.

Agora o que resta é passar com você o que resta.

E nada mais.

Amor.

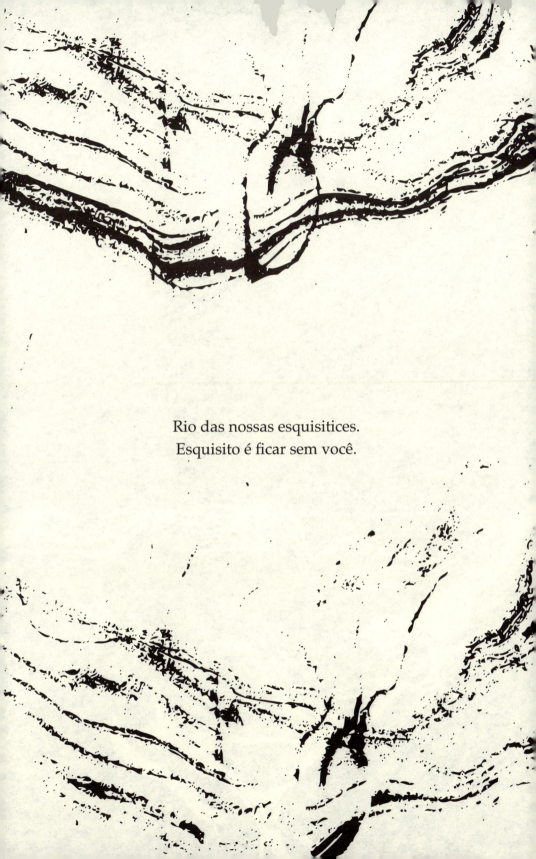

Rio das nossas esquisitices.
Esquisito é ficar sem você.

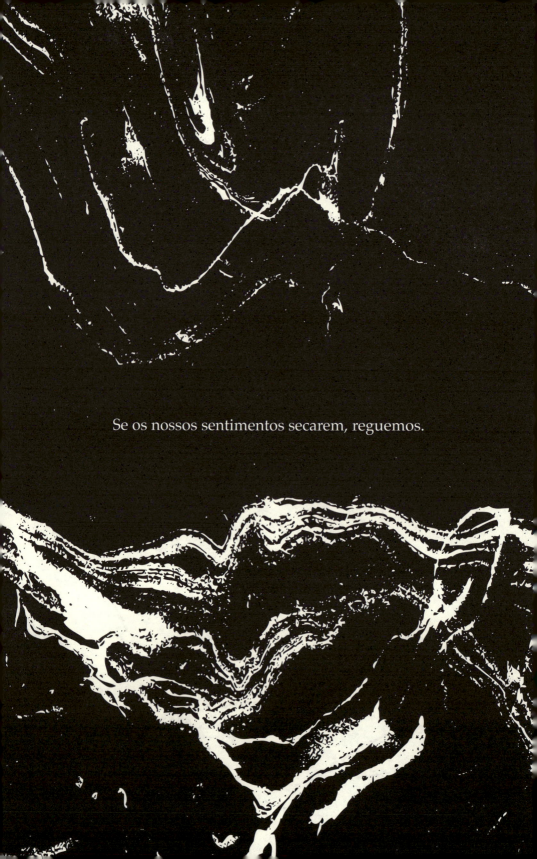
Se os nossos sentimentos secarem, reguemos.

Escriba

Escrevo como obrigação.
Brigo com pensamentos que, súbito, passam por mim.
Brigo com personagens e com ocasiões.
Parto-me em tantos para deixar o pouco que me cabe na
                                    [escritura do mundo.
Rasuro, corto, importo-me com cada ser que gerei.
Trago os meus intentos em dizeres alheios. Em vidas que
sugerem vida.
Escrevo como prova de amor.
Amo as palavras porque é delas que nascem os enlaces.
Dizemos e emocionamos.
Dizemos e nos emocionamos.
Isso mesmo. Ninguém que diz palavras de amor fica imune.
Escrevo sobre o que vi, vivi ou desejei.
Escrevo como missão.
Missionário dos encontros, faço pontes e convido a percorrê-las.
Solitário nos dizeres, sou acompanhado por uma multidão
de vozes que tem o que dizer.
E dizem. Para mim e para os outros.
Escrevo e me convenço de que sem palavras, as ditas e as não
ditas, eu não estaria aqui.

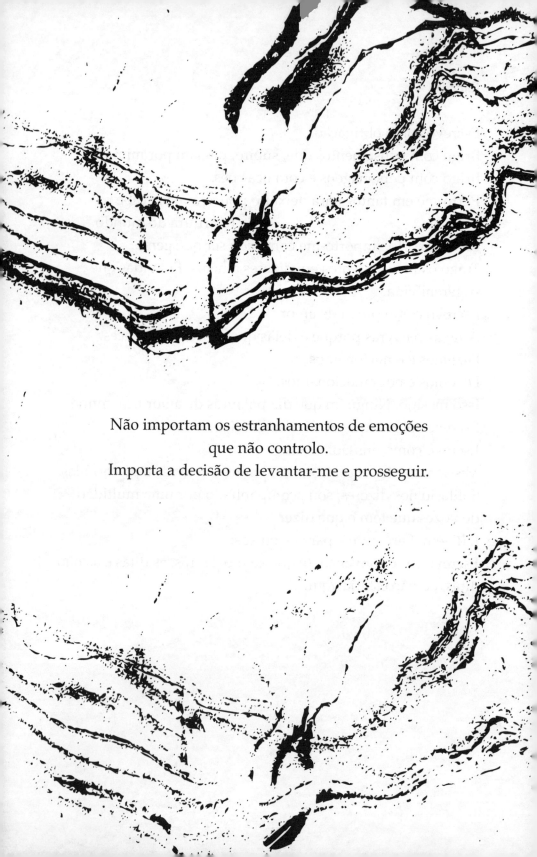

Não importam os estranhamentos de emoções
que não controlo.
Importa a decisão de levantar-me e prosseguir.

As palavras ganham vida quando abro as portas.

Tempo

Nu.
É assim que permaneço no tempo que me resta.
Não tenho a preocupação de me cobrir.
Não temo que me vejam.
Os medos ficaram para trás acompanhados de tantas falsas
[opiniões.
Perderam tempo os que do meu tempo fizeram nada.
Perdi tempo autorizando.
E vesti-me no tempo sem tempo do que não queria.
Desfilei por lugares sabidamente necessários. Bobagem.
Fiz os arranjos e desarranjei-me.
Rangi.
Arranhei e fui arranhado.
Usado.
Pisado.
Jogado.
Mas isso foi no tempo sem tempo.
Disfarces.
Roupagem para cada ocasião.
Opinião.
Falam o que querem e acreditamos.
No tempo sem tempo.
Caído. Ergui-me. Com o tempo.
Tempo precioso do amadurecimento.
Custou a chegar. Chegou.
E deu-me o que tanto prezo.

Nu.
Em tempo.
Reconstrução.

Palavras foram ditas na tentativa sincera, penso eu, de colocar
[ordem.

Quebramos nossas promessas. Ontem.

O futuro seria acompanhado.

Rompemos o pacto.

E fizemos isso sem abrir mão da dor.

Amizade.

Palavras foram ditas. Hoje.

Faltou alguma sinceridade. Tememos ferir ainda mais com lembranças incômodas.

Egoísmo. Ah, poderoso invasor capaz de desconstruir.

Talvez nos esqueçamos do que nos fizemos. Amanhã.

E permaneçamos.

Talvez.

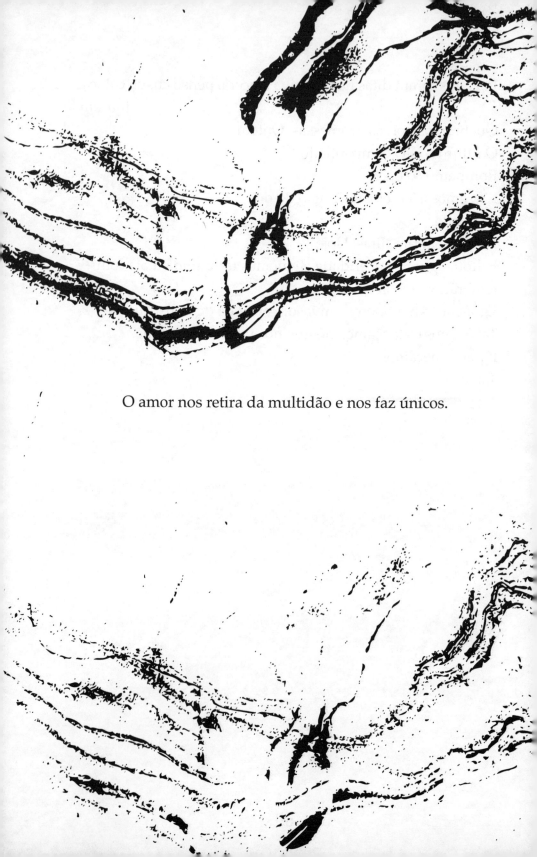

O amor nos retira da multidão e nos faz únicos.

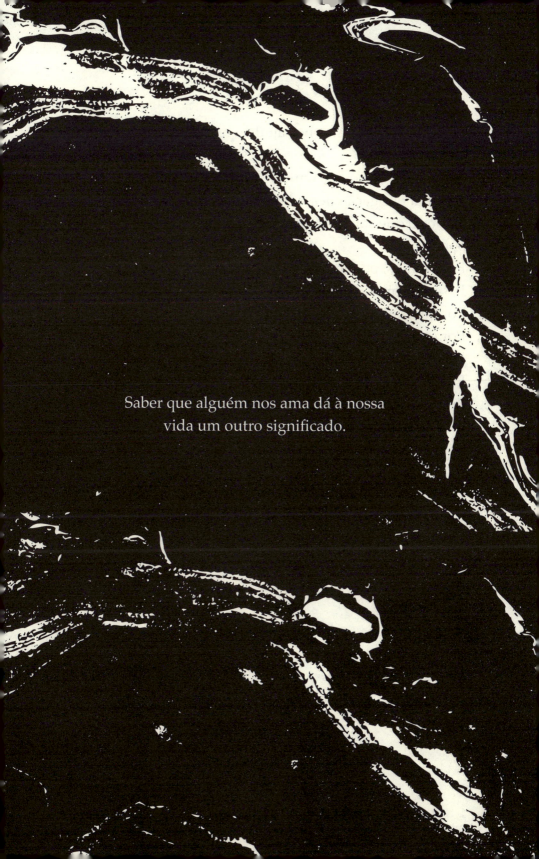

Saber que alguém nos ama dá à nossa vida um outro significado.

Artista

Lembrar o que somos nos ajuda a reviver nossos melhores
[momentos.
Somos. E é isso o que temos.
Temos a obrigação dessa lembrança.
Somos o que somos ou o que resolvemos. Pouco importa.
Somos.
E, se somos, podemos.
E, se podemos, somos.
Por que, então, perder tempo?
Por que permitir que o tempo escape sem sermos? Que esva-
zie as nossas razões?
Lembrar o que somos nos faz estar e prosseguir. Retos. Cien-
tes de sermos. E, então, perseguirmos o que se foi. E voltar-
mos ao que somos.
Somos. Eis a lembrança que importa.

Perder a paixão é perder a razão de ser do artista.
Antes da feitura da obra, há o intento amoroso.
Durante, também. E, também, depois.

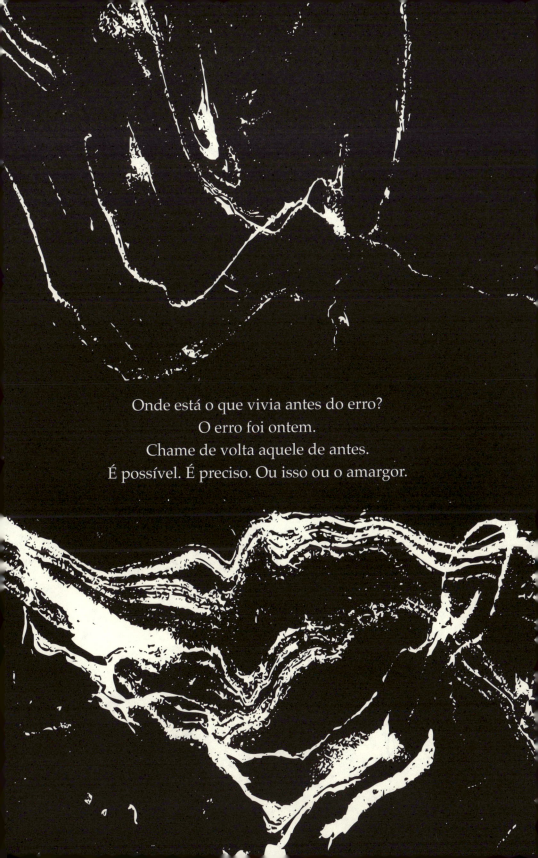

Onde está o que vivia antes do erro?
O erro foi ontem.
Chame de volta aquele de antes.
É possível. É preciso. Ou isso ou o amargor.

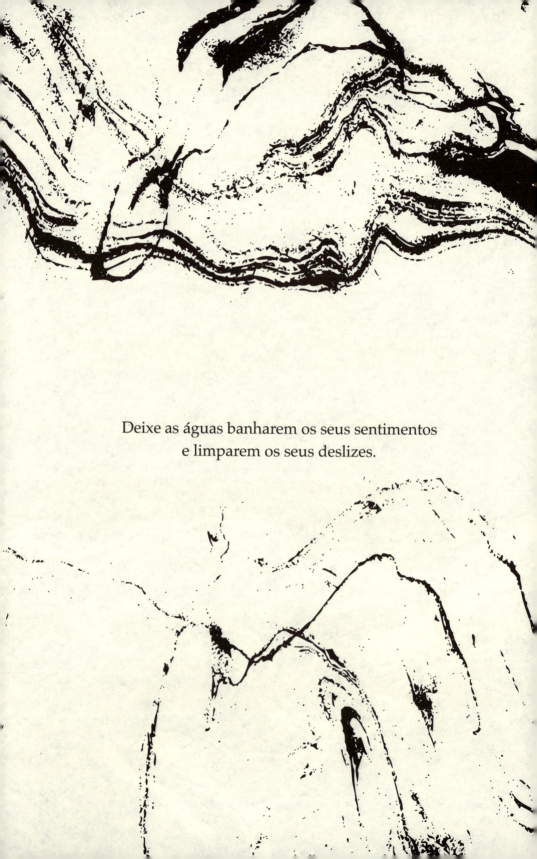

Deixe as águas banharem os seus sentimentos
e limparem os seus deslizes.

Quando o amor chega

Quando o amor chega
Os sons ficam mais claros. Os tons, mais nítidos.
Há um novo frescor.
Um nascer. Florescer.
Quando o amor chega
Sentimentos menores se vão.
Bobagens perdem-se por si.
E o instante ganha significado. O instante tem significado.
Viver sem amor não é viver.
Decidir não amar é não decidir.
Covardias que não combinam com a bravura humana.
Heroico é viver. É amar. É perceber o instante e a ele ser grato.
O mundo cabe em um instante. O morrer. E o viver.
A decisão que nos cabe é decidir.
Ou isso ou a renúncia ao que somos.
Quando o amor chega... A vida chega!

Cansaço

Já me chamaram de arrogante. Decerto fui.
Já me entregaram o que eu havia dado. Dei e cobrei. Não dei.
Já partiram e me deixaram a fazer ameaças. Ameaçando,
perdi e me perdi.

Já desistiram de mim mais de uma vez e, mais de uma vez,
permaneci errante.

Toscas teimosias que me roubaram os melhores momentos e
me deixaram a sós. Sozinho e sem humildade para me le-
vantar. Caído por consequência de causas estranhas. Eu sou
a causa maior da minha ruína. Não permiti que o tempo me
ensinasse. Quis ser meu próprio professor. Acabei por abra-
çar a mim mesmo e experimentar o amargor da derrota.

Hoje, calo-me porque não tenho a quem dizer. O que dizer
tenho, mas o cansaço me faz permanecer onde estou.
Se me levantasse, talvez pudesse encontrar alguém que me
desse uma nova oportunidade.

Se me levantasse, talvez compreendesse que sempre há uma
possibilidade.

Cansaço...

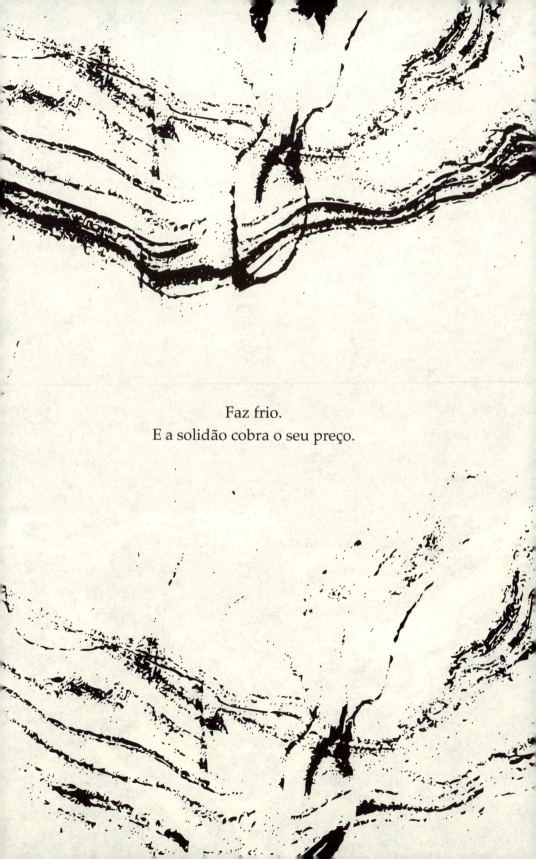

Faz frio.
E a solidão cobra o seu preço.

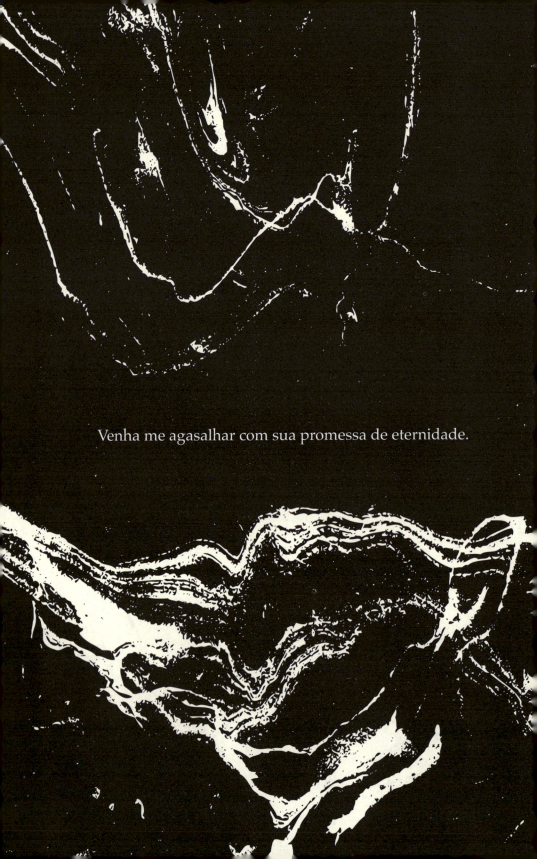

Venha me agasalhar com sua promessa de eternidade.

O que não permaneceu

Lembro-me dos dias de felicidade. Dos dias da inocência.
Dos dias em que a esperança me fazia companhia.
Lembro-me das promessas de futuro. Dos primeiros sorrisos
roubados no encantamento da descoberta dos encontros.
Lembro-me dos dizeres lúdicos, das histórias fabulosas, dos
finais sem finais. Tudo era possibilidade. E, aos poucos, dos
meus dias foram escapando a ternura e o futuro.

Enriqueci. Empobreci. Enrijeci.

Lembro-me da leveza e dos prazeres simples.
Acordar e brincar de viver e viver a brincar e a descansar.
Hoje, meu descanso é outro. E repleto de reclamos.
Hoje, preencho-me de exigências e de confortos desconfortantes.
Que pena que me falta coragem... se não, eu voltaria.

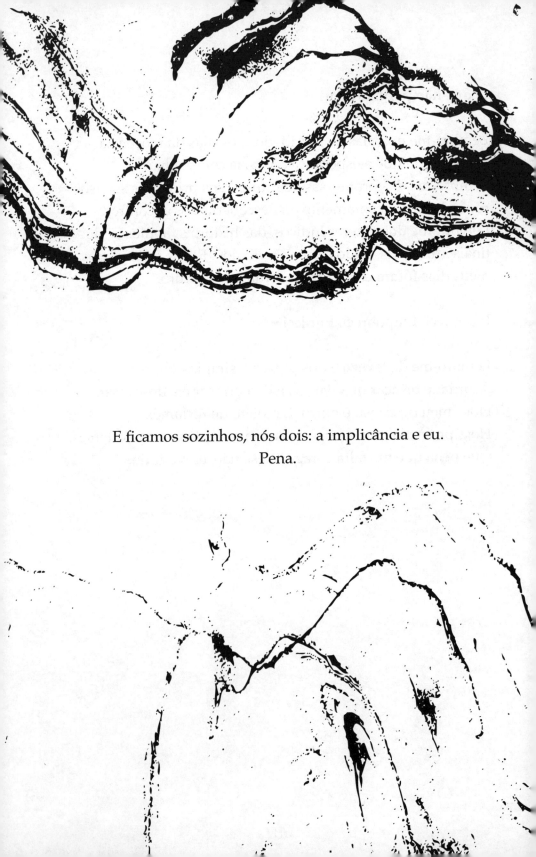

E ficamos sozinhos, nós dois: a implicância e eu.
Pena.

A unicidade do instante

Não me venha com comparações.
A unicidade do instante e a multiplicidade das opções
exigem respeito.
Aqui vivem os nossos desejos.
Aqui convivem as nossas necessidades.
Pouco importa se por muito ou pouco tempo.
Importa é estar. E estando, ser. E, sendo, jamais esquecer.

E então eu me sento

E então eu me sento
E separo o bom do resto.
Como na casa antiga
Onde meu caráter foi forjado.

Quando a morte vier

Quando a morte vier, direi:
"Venha, amiga".
Não fugirei. Não sou covarde nem desavisado.
Sei que ela virá.

Talvez tente persuadi-la a me acompanhar por algumas
paisagens que gostaria de levar. Talvez tente roubar dela
um sorriso de felicidade diante dos amores que tive; alguma
compaixão diante das despedidas forçadas.
Vou mostrar a ela o cenário da minha infância. O tempo da
esperança. Vou falar de medos. De ansiedades.

Vou fazê-la ver que talvez eu não tenha amado o necessário.
Mas amei. E me entreguei inclusive mais do que devia. Fui
incontido onde teria sido prudente aguardar.

Mostrarei as aparentes frivolidades que emolduraram o meu
retrato. O dia a dia. A prosa despretensiosa. O caminhar pelas ruelas. Os acenos. Os comentários. O contemplar.

Sempre gostei das paisagens. E ela haverá de compreender
o quanto me fará bem revisitar as primeiras impressões que
vivi em tantos cenários.
Vou falar das injustiças que sofri. Das pedras que impiedo-
samente me atiraram. Mas falarei também de piedade. E de
amizade. E de gratidão.
Talvez a convide para um banho de cachoeira, da Cachoeira
onde nasci. Onde tudo começou. Das escolas onde aprendi e

ensinei. Dos rabiscos e das rasuras. Do texto e da aritmética. Das somas e das subtrações. Do que permaneceu.

Vou fazê-la viajar comigo. Inseguro do que poderá vir, mas entusiasta do meu ofício. Uno e múltiplo. Professar, escrever, transformar, viver.
Os livros ficarão, histórias nascidas de alguma intenção. Inspiração. Ação. Obras.

Vou dizer algumas despedidas. Poucas. As outras seriam desnecessárias. E não quero fazê-la esperar. O tempo das esperas já terá sido. A novidade, agora, será experimentar.

"Venha, amiga minha."
Não tenho medo. Tenho alguma pena. Por gostar tanto de viver. E por ter de ir. Mas vou. Porque é assim que tem de ser.

Para os que virão

Deixo enterrado meu testamento sem saber quando nem quem há de encontrá-lo.

Podem ser anos, décadas ou séculos. Quem sabe?!

Reza o meu testamento o que duramente aprendi.

No preâmbulo, a inspiração: fazer o bem sempre. Sem concessões.

Os artigos, apenas estes:

Amar, com toda a força e as consequências desse verbo maior.

Perdoar, como ritual de limpeza e de recomeço. E de liberdade.

Perseverar, mesmo diante dos senões.

Compartilhar, como consequência do primeiro artigo "Amar". Porque não há vitória no isolamento. Um campeão precisa do abraço e de alguns dizeres.

Celebrar, como exercício diário. Acordar e ter a gratidão como companheira. E assim permanecer durante todo o dia.

Chorar e sorrir, compreendendo a dualidade e a transitoriedade.

Jamais esquecer, jamais. De quem e para quê. De quem o criou e para que foi criado? A resposta está no primeiro artigo. O Amor para amar.

Depois de encontrado esse testamento, permita que outros também conheçam.

E depois é viver. Com criatividade e coragem. Com ousadia.

Cada um do seu jeito. Com o ineditismo de cada estreia.

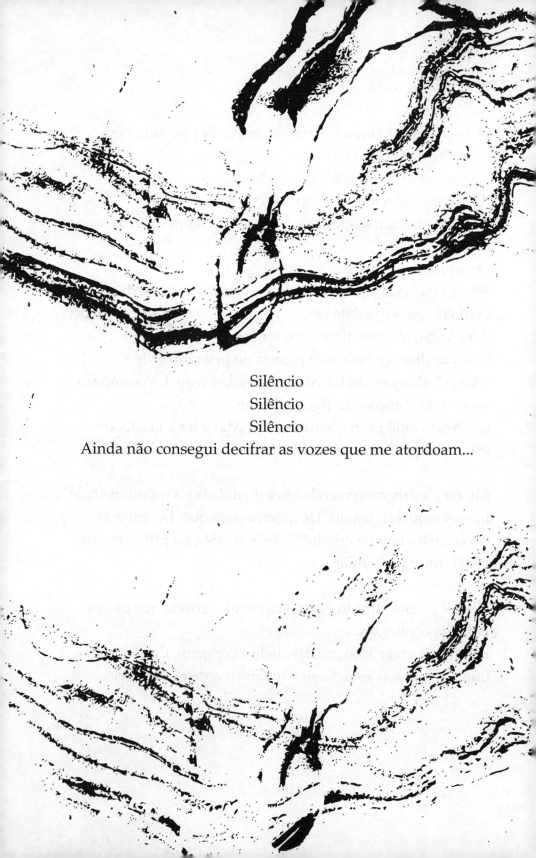

Silêncio
Silêncio
Silêncio
Ainda não consegui decifrar as vozes que me atordoam...

Agrediram sem piedade,
não compreenderam as minhas escolhas.
Vomitei o asco da incompreensão e permaneci.

Loucos?!
Certamente.
E os outros?
Deixe que partam.

Esperança, amiga minha,
não se vá apressada.
Sei que estou sombrio. Mas estou.
E, se estou, ainda posso pedir: fique.

Talvez a pressa tenha ido embora.
Talvez não.
Talvez o tempo tenha se cansado da espera.
Talvez não.
Respostas que não tenho.
Perguntas, enquanto há, tudo se ajeita.
Lugar.

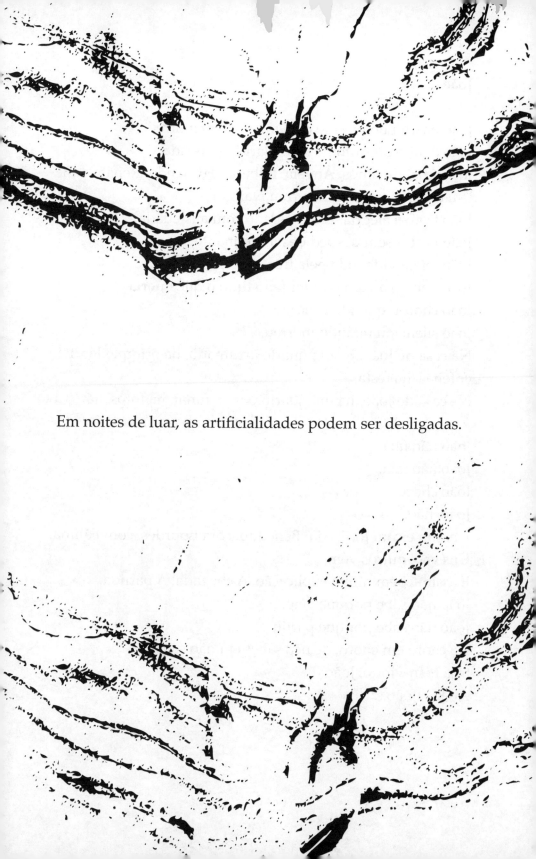

Em noites de luar, as artificialidades podem ser desligadas.

João

João nasceu no mesmo dia em que João morreu.

João é filho de Antônio e de Maria Aparecida.

João é pai de filhos, Ângela, Roberto, Fernando, Renata, Julieta e Maurício. E é casado com Nair.

João trouxe alegria. Era esperado com ansiedade.

João partiu sem despedidas. Fulminante.

João tem a vida toda pela frente.

João deixou a vida sem ter feito tudo o que queria.

João chorou quando nasceu.

João silenciou quando morreu.

Na casa de João, há um quarto arrumado, há brinquedos, há enfeites, há festa.

Na casa de João, há um quarto por arrumar, há fotos, há
                                    [lembranças, há saudade.

João não fala.

João não fala.

João chora.

João, não.

E assim é com José, com Benedito, com Lourdes, com Fátima.

Uns vão, outros vêm.

É assim! Sem muita explicação. A chegada. A partida.

João não sabe por que veio.

João não sabe por que partiu.

De choro em choro, de não saber em não saber.

Seja bem-vindo, João.

Adeus, João.

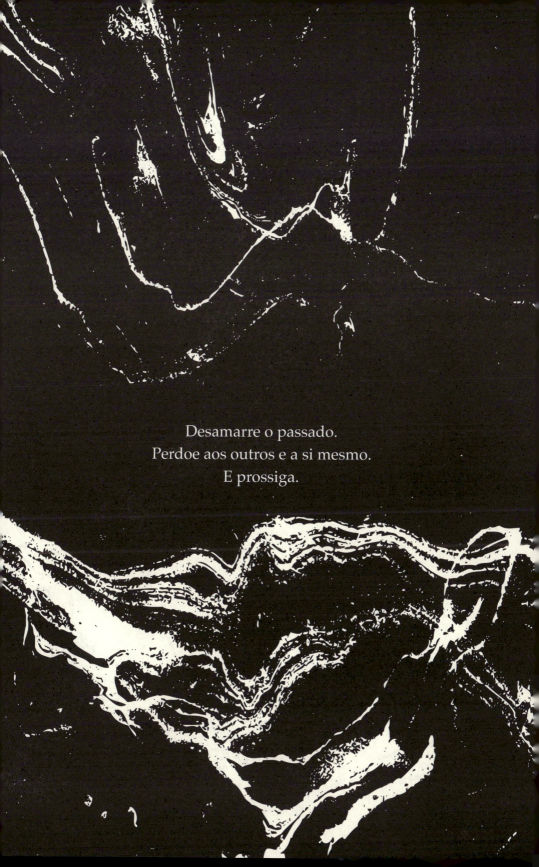

Desamarre o passado.
Perdoe aos outros e a si mesmo.
E prossiga.

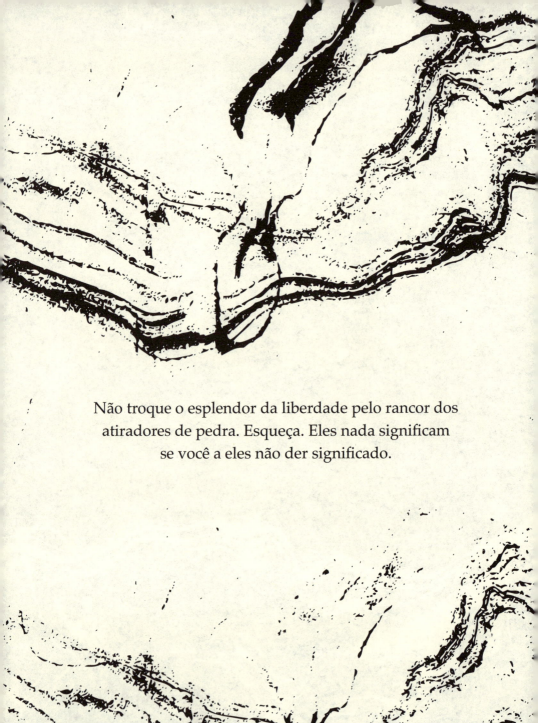

Não troque o esplendor da liberdade pelo rancor dos atiradores de pedra. Esqueça. Eles nada significam se você a eles não der significado.

Seu cachorro celebra a sua chegada. Apenas isso.
Aprenda.

Um homem e um cachorro

Um homem. Um cachorro. Um acidente.
O homem conheceu o cachorro. Amou o cachorro.
O cachorro conheceu o homem. Amou o homem.
Homem e cachorro saíram, como sempre.
Como sempre, passearam. Como sempre se afagaram. Como sempre.
Desta vez foi diferente. Teve o acidente.
O acidente pegou o homem que empurrou o cachorro. O cachorro não entendeu o empurrão. Nem o barulho. Nem a queda.
O homem conseguiu salvar o cachorro. O cachorro não conseguiu salvar o homem.
Muita gente chegou. O barulho, a confusão. E o homem caído no chão.
E o cachorro...
Triste demais.
Ou não.
O homem ferido se levantou. O cachorro se aproximou. Pulou. Fez festa.
E voltaram juntos para casa.
Será?
Não. Infelizmente, não.

Vê além

Gosto de dias assim.
Há chuva e não há sequer espaço para se imaginar tempo bom.
Se prestar muita atenção, verá que assim será amanhã e de-
[pois de amanhã e depois de depois de amanhã.
Sem sol e sem esperança o melhor é aguardar.
E subitamente perceber que o que se via não era o que se via.
Há mistérios e não são poucos. Tolice achar que é tolo acre-
ditar no que não se vê. E a prova está no que se vê. Que nem
sempre é o que se vê.
Não é necessário descartar o que se vê. Vê além. Apenas isso.
Com ou sem os olhos. Vê além!

Amar
e não transgredir.
Amar
e não desajeitar os seus sonhos.
Amar
e não exigir.
Amar
e abrir as mãos.
Amar
e compreender.
Amar
e prosseguir de mãos enlaçadas.

A criança que há em mim

Há uma criança que brinca em mim todas as vezes que me lembro dela. Que ri quando a alimento. Que me conduz quando permito.

Faz coisas de se duvidar. Impressiona-me pelo desinteresse. Quer apenas viver. Olha coisas que desaprendi. Não tem a pressa que tenho nem a desconfiança que o tempo foi trazendo.

Quando estou amargo, desesperado, ela aguarda. E eu perco.

O melhor, o melhor mesmo, é que ela nunca desiste de mim.

Autorização

Vassalo do que ontem você disse,
Vesti-me de cadeados. Voluntariamente.
E enviei um recado.
Quis que soubesse da minha situação.
Enviei junto a autorização para sua chegada. Aos outros,
um aviso. Morri. Apenas isso.

Em suas mãos está a minha liberdade, a minha respiração.
Se você não vier, andarei trôpego pelas ruelas que
desconheço e ouvirei apenas o tilintar das correntes.

É isso.
Socorro!

Triste herança

Desprezo o violento porque credito a ele o fracasso da inteli-
[gência.

Desprezo o covarde porque fere os indefesos.
Desprezo o dissimulado pelo desperdício de não se
encantar com a verdade.

Peço perdão pela semântica. Desprezo tem significado
agudo. Mas alicerço-me no corte por vezes irreparável que
o violento, o covarde e o dissimulado deixam de herança.

Desculpa

Havia uma disposição para o afeto.
Era disso que tratava a tal carta.
Para o afeto. Apenas isso. Ou tudo isso.
Nos primeiros dizeres, elogios. Alguma recordação,
inclusive.
Depois a autocondenação ou a autopiedade.
Culpa assumida.
Depois o partir. Encontros assim não levariam a nada.
E, por fim, a proposta de afeto.
Em algum dia, em algum lugar. Quem sabe?!

Li algumas vezes tentando encontrar sinceridade. Lembrei-
-me de outras despedidas. Estrutura semelhante. Quem parte
culpa a si mesmo para amenizar a dor de quem fica. Quem
fica finge acreditar.

E, no final, apenas a disposição para o afeto.

E Deus inventou o amor.
E prosseguiu.
E Deus inventou a mãe.
E descansou.
Sabia que a obra estava pronta.

Mãe, eu te amo.

O choro de Joana

Joana tem vergonha do patrão,
chora sozinha a morte da mãe.
Não vai contar nada.
Não dá tempo de chegar da lonjura de onde veio.
Por que veio?
Por causa do pão.
Do pão da filha, que mora com a mãe.
A mãe morreu.
E agora?
Melhor não contar. Melhor não incomodar.
Patrão não gosta de choro de empregada.
Não gosta de incômodos.
No cômodo em que Joana vive, há uma foto da filha e outra
[da mãe.
Beija a foto da mãe.
Pega nas mãos a imagem de Nossa Senhora e reza chorando:
"Agora é sua vez de cuidar dela".
O pai não dá conta, sofre dos nervos.
A patroa de Joana é nervosa. Joana reza todas as noites para
que os amanheceres sejam calmos.
Sem gritos. Sem repreensões. Humilhação é dor que dói. E como!
Joana sabe que tem direitos? Será?
Medo é o que ela tem. De gritos e de recomeços.
A amiga de Joana falou de outra casa.
Será?
E se der errado? E o dinheiro do pão?
Já houve uma Joana queimada. A guerreira. A valente.
Valentia para quê? – resmunga essa Joana.
Com a alma queimada, ela acende uma vela. Vai logo apagá-la
para não perturbar a patroa.
Só dá tempo de uma Ave-Maria. Pela mãe. Pela filha.
O resto, ela aguenta. Chorando baixinho.

Aduladores

Onde estão aqueles que ontem estavam à mesa? Riam risos
fortes. Diziam sem dizer. E faziam movimentos exagerados.
Demoraram a partir. Partiram. Economizaram presença
quando as nuvens vieram.

A luminosidade parecia aquecer outro cenário. E lá foram
eles com as bocas grandes e os anseios descontrolados.

Sei que as nuvens que hoje estão, irão, mas confesso
um secreto desejo de que eles não saibam. Se não, fingirão
pausas e voltarão. Sem constrangimento.

Quero os que estão. Apenas esses. Os que não se incomodam
com as ausências. Os que vivem bem em qualquer estação.

Pobres daqueles que se encantam com o primeiro canto.
Conheça melhor os cantores. Podem estar dublando.

Gosto das suas rugas. Demorei para perceber o quanto elas lhe caem bem. Sem maquiagem fica bem melhor.

O domingo e você

No entardecer de um domingo, vem a lembrança de um tempo de angústias. Solidão.

Fito, ao lado, e vejo você. E sua graça. E sua intransigente decisão de ser feliz.

Recosto em seu ombro e, pelo espelho, que nos vê assim, peço emprestado o seu sorriso. O dos lábios e o dos olhos.

Ontem, eu não imaginava gostar tanto dos domingos que se despedem. Não compreendia a insistente melancolia.

E não havia vitórias. E havia conquistas. Solidão.

É você. É você que dá significado ao que parte e ao que chega. Dizendo ou não.

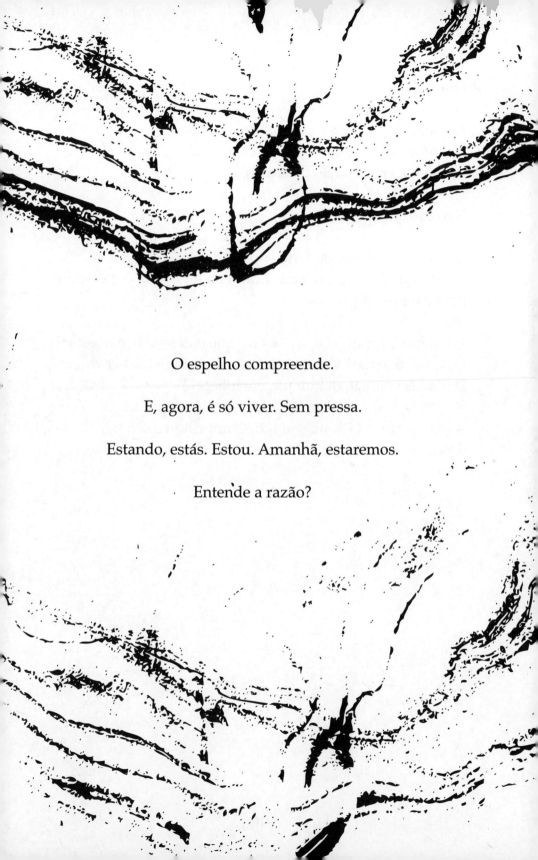

O espelho compreende.

E, agora, é só viver. Sem pressa.

Estando, estás. Estou. Amanhã, estaremos.

Entende a razão?

Dor

A minha dor é a dor que mais dói.
A minha dor chegou invasiva, corrosiva.
Faltou tempo e eu não disse não.

Não corri nem fiquei.

Quem, que não eu, poderia suportá-la?
Quem, que não eu, poderia compreender o tempo da espera
para o tempo do alívio?

A minha dor trará algo a mais do que o desejo de não estar?
Escrever poemas? Compreender outras dores? Saber chorar?
Dar mais valor ao demorado amanhecer?

A minha dor está aqui, comigo. Cumprindo o seu papel. Sem
descansar!

Escolhas

Dia após dia enfrento o ofício penoso da escolha.
Por aqui ou por ali. Ir ou ficar. Dizer sim ou não.
Fingir que não estou não combina comigo. Sempre fui da
luta. E quem luta, escolhe.

Batalhas me tornam vulnerável. O cansaço e alguma vaidade
prejudicam.
Precipitadas escolhas só dão certo se a sorte vem junto. Esperar pela sorte já é um fracasso.

Que venha se quiser vir, mas que dela não se dependa. É esse
o mantra que repito.

Faço o que deve ser feito. E se me concentro. E se me dedico. E
se me lembro de por que eu nasci, a propensão ao erro diminui.

Errar é humano. Deixar de escolher, não. Entregar a outrem a
decisão da escolha, também não.

É escolher e responder pela escolha. Ereto. Digno. Consciente
da aprovação ou da reprovação. De dentro ou de fora.

Isso é existir. Fingir é desistir. É extinguir a chama que cativa,
que move e comove.

Dia após dia, enfrento o ofício penoso da escolha.

Rasgo recados trazidos por mensageiros afoitos. Despeço os
falsários, que aplaudem quando não devem e se escondem

quando deveriam estar. Miro no exemplo dos que se fizeram exemplo.

Verdade, esse é o meu lema, o meu rumo, o meu norte.
O resto é vento.

E o que eu quero é tempestade. É o que arde. O que inflama conclama.

O pouco que ficar, ficarei. O pouco que permanecer, permanecerei. Inteiro. Fazendo barulho. Silenciando.

Dia após dia enfrento o ofício penoso da escolha.
É para isso que vim. E é por isso que permanecerei.

Fingir não amar? Não contem comigo.

Só mais um pouco e o instante terá ido embora.

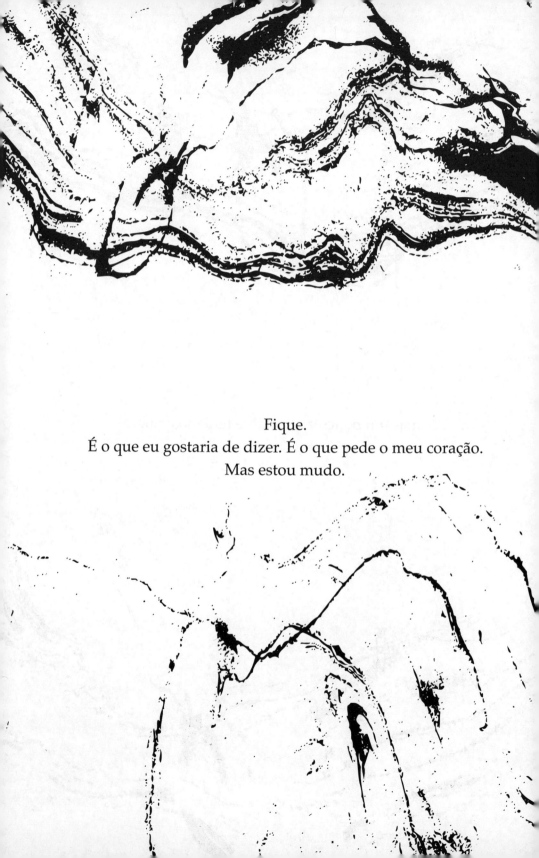

Fique.
É o que eu gostaria de dizer. É o que pede o meu coração.
Mas estou mudo.

Partida e chegada

Quando parti em busca do meu amor ainda havia esperança.
Fui. Sem garantia alguma.
Fui. Com a decisão de não deixar apagar a pouca luz que me
restava.

De esquina em esquina, de escombro em escombro, procurei
com avidez. Chorei e sorri em intervalos injustos.
Arranhei-me em arbustos sem placas de sinalização. Rasguei
o pouco que restava da minha dignidade.

E encontrei.

E junto encontrei o desprezo, o desdém, a apatia.
Implorei pelo recomeço.
A resposta foi não.

Implorei mais uma vez com a certeza de que ter o passado
como testemunha resolveria.
A resposta continuou a mesma. E o passado sequer pode
prosseguir com as suas razões.

Esqueci-me de mim mesmo e, aos prantos, supliquei uma
noite. Apenas uma noite.

A resposta foi evasiva. Não entendi. Perguntei. E sem resposta o meu amor foi me acompanhando.

Chegamos ao passado sem passado. Ao lugar em que ontem
havia quentura.

Em silêncio nos acomodamos.
Tentei oferecer alguma coisa.
Tentei oferecer o pouco que restou.

A noite toda eu olhava para quem não estava.
A noite toda eu chorava, com a gana de segurar o tempo e de atrasar o amanhecer.

Era noite. Mas havia companhia.

O amanhecer resolveu. A partida havia sido, de certa forma, acordada.
E, com ela, foram-se a esperança, a chama e tudo mais que a poética dos meus sentimentos ousou desejar.

Hoje não tenho esperanças. Nem choro. Os intervalos são entre o nada e o pouco que de mim restou.

Era isso o que eu mais temia. Era isso o que eu permiti que acontecesse.
Ainda há uma porta no cômodo que o amor frequentou.
Quem sabe alguém chegue.
Quem sabe eu saia.

Ainda há uma porta no cômodo que o amor frequentou.
Quem sabe alguém chegue.
Quem sabe eu saia.

Em uma criança moram esperança e desperdício.
Alimente o habitante correto.

Obrigado por cuidar de mim.

Cansaço

Há o cansaço, eu e mais nada.
Disseram que eu errei.
Desisti de explicar.
Se estão convencidos... continuem. Prossigam na insana tare-
fa de desarrumar.
Falam muito e quase nada.
Comentam. Inventam. Lamentam, vestidos de piedade. Fin-
gem-se tolerantes, sábios.

Toscos argumentos dos que se acostumaram à vida covarde.
Desisti dessa gente que se diz importante. Importam os que
produzem, os que luzem. Esses, sim. E falam pouco!

Não gosto de conversas que giram em torno de pessoas. Há
uma abundância de possíveis vícios que são comparados aos
adjetivos sem substantivos. Bobagem.

Já me importei. Já sofri. Já imaginei estarem mal informados.
Estão é malformados. Tolos de plantão.

O que vejo é o horizonte. Há uma montanha ao longe. Algumas nuvens. O sol, que não está tão alvoroçado. E o barulho
agradável da natureza. Isso, sim, é uma homenagem à perfeição. Estão onde estão sem querer incomodar. Se vemos,
vemos. Se não, continuam.

E eu, desatento, gasto tempo a pensar na corja. Peço perdão
pelo tempo dos desperdícios.

Há o bom cansaço, eu e muito mais que preciso reaprender a
[ver...

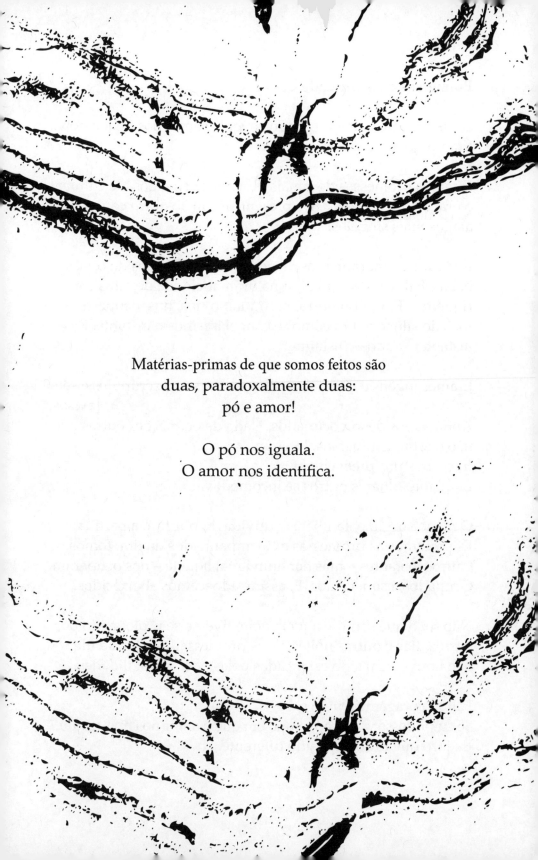

Matérias-primas de que somos feitos são
duas, paradoxalmente duas:
pó e amor!

O pó nos iguala.
O amor nos identifica.

Promessas de eternidade

Se eu pudesse voltar ao tempo em que o amor nos frequentou...
Éramos jovens. Valentes, talvez.

Fizemos promessas de jamais desenlaçar as mãos, de cultuar
o oráculo da presença. De presentear um ao outro com os
afagos mais singelos.

Estávamos emaranhados de nós mesmos. Ríamos de coisas
bobas. Falávamos com alguma dramaticidade de fatos cor-
riqueiros. E, vez ou outra, permitíamo-nos, nus, ocuparmo-
-nos do silêncio. Era como se congelássemos o instante. Rico
instante. Saudoso instante.

Éramos jovens e o tempo se desgrudou sem escrúpulos e sem
[avisos.
Andávamos despreocupados. Nada de ocupações outras que
não o estar. Estávamos. Inteiros.
Interiores nos preenchiam.
Enquanto olhares outros se incomodavam.

O medo surgiu e, também, a dúvida. E, por fim, a partida.
Esquecemos as promessas e, acompanhados da dor, fomos.
Outros instantes – mas nenhum igual àquele – nos ocuparam.
Ocupados, esquecemos. E, assim, adoecemos aborrecidos.

Não sei o que seria se aquela noite tivesse se prolongado por
outros dias e outras noites. Se as promessas de eternidade
não houvessem sido estancadas pelas nossas fragilidades.

Faltou coragem? Quem sabe?!
Se eu pudesse voltar ao tempo em que o amor nos frequentou...
Eu juro que tudo teria sido diferente.

Éramos jovens e o tempo se desgrudou
sem escrúpulos e sem avisos.

Nos desalinhos dos meus cabelos, a suavidade das suas mãos.
E nos meus pensamentos, prazer.

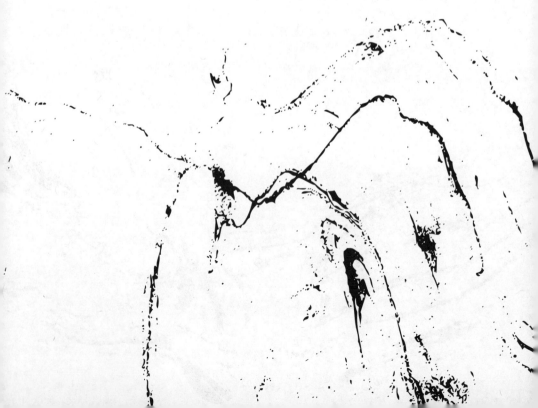

Mãe

Colo em teu colo os sentimentos que me talham.
Sou fruto do teu seio.
Anseio por prosseguir, estando aqui,
 Alimentado pelo teu amor.
Amo a vida como vocação.
Amo as gentes e as paisagens.
Nessa ordem.
Sou forte o suficiente
Para compreender minha fraqueza.
E um pouco mais.
Para voltar ao teu colo e
alimentar-me da seiva que me salva.
Sou filho do mundo.
Sou teu filho.
Desorientado e protegido.
Tuas lágrimas dessalgaram as minhas feridas.
Feri-me com confusões.
Contundi-me no jogo das vaidades.
Voltei.
E descansei de mim mesmo.
Fruto teu.
Regressei à minha espécie.
A dos que amam.
A dos que cingem de esperança sua trajetória.
Mãe é o teu nome. O teu destino. A tua sina.
Sino que me embala, calmamente, quando repouso
E que badala sem economias
Quando me estendo, descansando.
É hora da batalha.
Da boa.
Da que conduz ao lugar certo.

O lugar para onde devo ir desde tua decisão.
Nasci de tua intenção, de tua ação.
Cresci do teu alimento.
 Aumento a vida com as lentes que me deste
Quando descreveste o viver.
Vivo contigo em mim.
Sempre.
 Mesmo quando o colo está distante.
Ah, como gosto!
Quando colo em teu colo o que há em mim.
Apenas nós.
Nossas lembranças e o que ainda há de vir.
Mãe.
Pequeno ou grande.
Em festas ou nas tuas ausências.
É em ti que colo a origem e o fim.
E a travessia.
É em ti, porto de onde parti,
Que reparto o que partiu e o que ficou.
Mãe.
Você fica.
Colada em mim. Para sempre.

Mãos de meu pai

Eram grandes,
as mãos de meu pai.
Nelas, os meus medos encontravam descanso.
Aconchego – é o que vem à memória.
Nas mãos de meu pai, a confiança.
Nas mãos de meu pai, a ternura.
Nas mãos de meu pai, a modelagem.
Fui me fazendo e desfazendo em erros e acertos.
Assim é que é.
Fui caindo e levantando. Vivendo, enfim.
Fui para longe e voltei tantas vezes quantas consegui para
tocar nas mãos de meu pai.
A cada regresso, o regresso da confiança, da ternura, da mo-
[delagem.
Confiar é próprio dos que se sabem amados. A ternura, a
consequência desse amor. E a modelagem, o seu ofício.
Moldou-me o meu pai para que eu resistisse bravamente ao
errado e ao injusto.
Moldou-me o meu pai para que eu erguesse a voz brava dos
que defendem o que dignifica a vida.
Não se trata de um passeio os tempos da existência.
Trata-se de labor, de suor, de transformação.
Transformei-me em um ser crente nas possibilidades.
Escolhi seguir os passos que carregavam as mãos que me
eram tão caras.
Os passos de meu pai eram mansos, mas certeiros. Decididos.
Nada de exageros. Nada de exibicionismos.
Apenas caminhante apaixonado pelos tempos e pelas pessoas.
Cada dia. Cada gente. Tudo sentido pelas mãos de meu pai.

Hoje ele descansa, mas suas mãos permanecem a conduzir e a acariciar; a moldar, sem solavancos, o que sou.

Mãos saudosas, as mãos de meu pai.
Um dia nos encontraremos. Assim ele me ensinou.
Assim eu aprendi.
Fé.

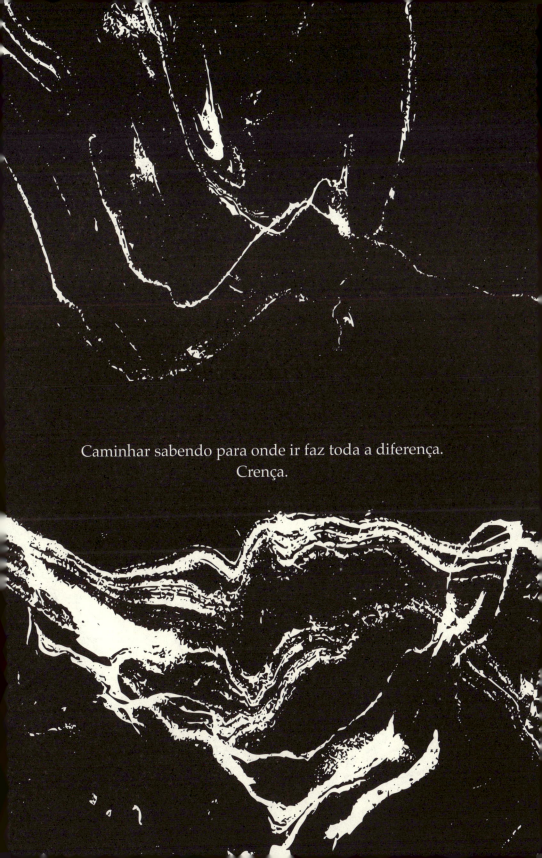

Caminhar sabendo para onde ir faz toda a diferença.
Crença.

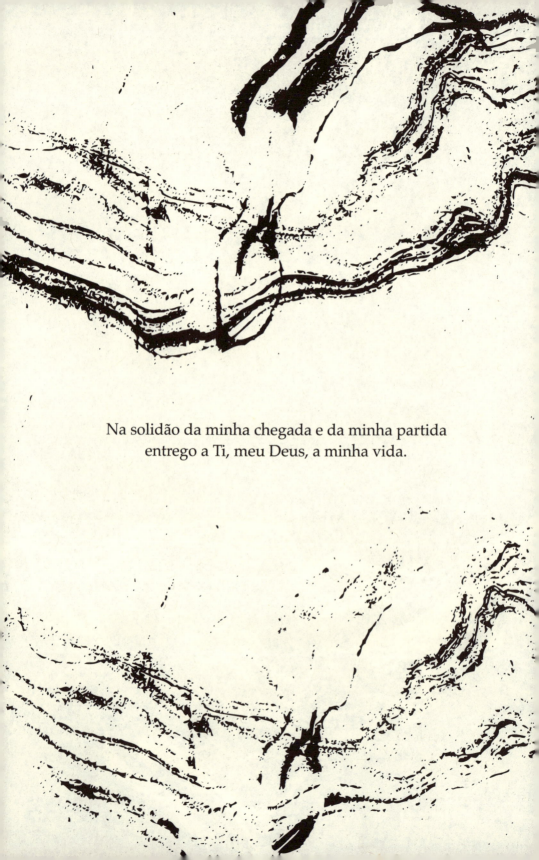

Na solidão da minha chegada e da minha partida
entrego a Ti, meu Deus, a minha vida.

Alimento-me do Sagrado e voo.
O mais alto que posso.

Benditos sejam os nossos erros!

Enfim, o conheci.
Findou-se o tempo das ausências.
O medo das esquisitices,
Minhas e suas,
Já não mora aqui.
Súbito, você chegou.
E espalhafatoso desarrumou minha rotina.
Chamou-me à convivência.
Desarmou minha armadilha.
Sem sussurros, explicou que assim é melhor.
Hoje, caminhamos juntos.
Ora eretos.
Ora desajeitados.
Pouco importa.
Na fala ou no silêncio.
Fazemos parte um do outro.
Rimos dos nossos erros.
Benditos sejam os nossos erros!
Humanizam.
Ensinam a precisar uns dos outros.
A perfeição não nos pertence.
Não importa.
Apenas somos.
Melhorando o que conseguimos.
Somos assim.
Nascemos do barro e nunca ficaremos prontos.
Seres em construção, em modelagem.
Age em nós o prazer do estar.
Juntos.

Reclamando ou amando.
É o milagre do estar sem precisar estar.
Somos desnecessários.
É isso que faz compreender o que somos:
Amigos.

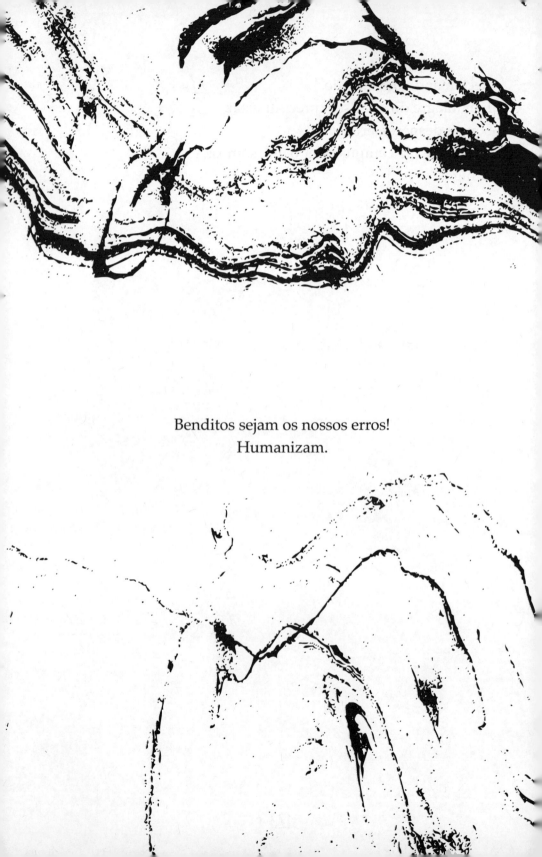

Benditos sejam os nossos erros!
Humanizam.

Você

Sabor estranho, esse que rouba a minha quietude.
Preenche-me de novidades.
Sabor do seu traçado sobre as páginas da minha vida.
Sabor do seu amor sobre as lentes que ampliam
E que colorem o que hoje vejo.
Antes era bom, confesso.
Mas agora... agora, é amor.
É sabor.
É você.

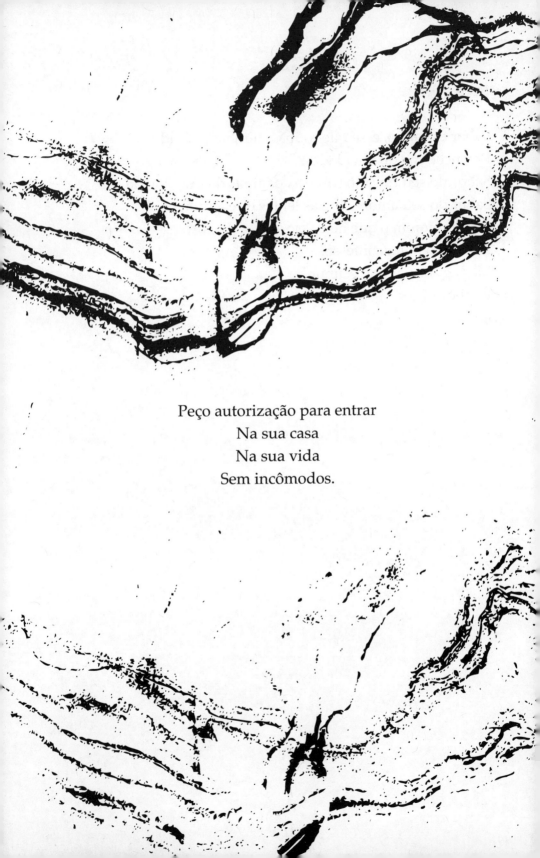

Peço autorização para entrar
Na sua casa
Na sua vida
Sem incômodos.

Gosto desse gosto de futuro.

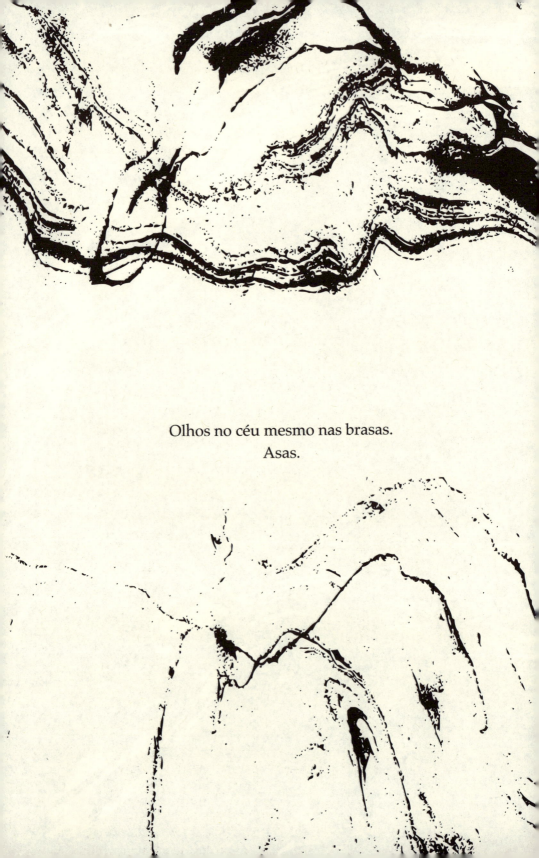

Olhos no céu mesmo nas brasas.
Asas.

Brincante
Nos campos de ontem
Canto a canção da espera.
Virá a primavera.
Errou quem disse: "Estão mortos".
Melhor ver antes.
Paciência.

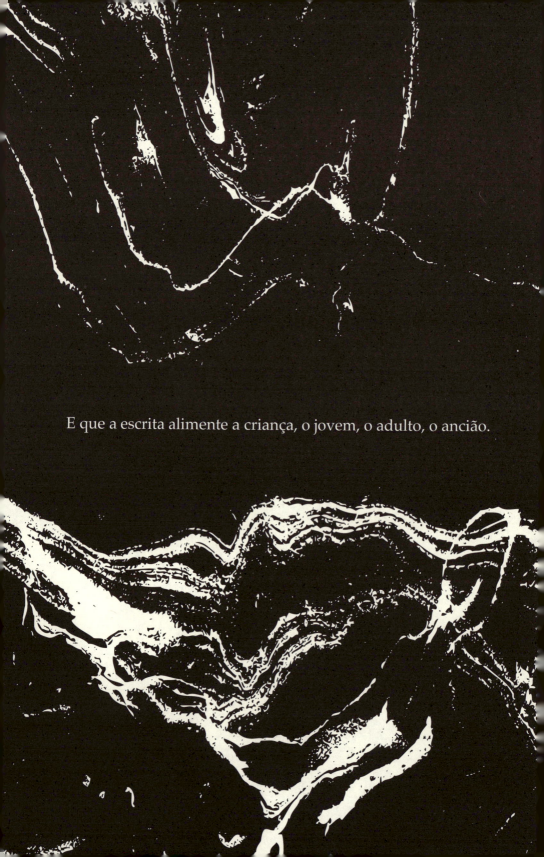

E que a escrita alimente a criança, o jovem, o adulto, o ancião.

Esperança

Celebro a amizade como um ritual que se renova.
Reconheço minha incompletude e também a de meus amigos.
Sofro os cansaços de erros meus e deles.
Corto-me em chãos miseráveis.
Sem cor, sem perfume e sem iniciativa, entrego-me ao sacrifício final. E aí, surgem eles e a esperança e o futuro.
Ontem, cadeiras e palcos vazios. Hoje, canções em coro.
Ontem, sorrisos economizados. Hoje, brados de guerra, de convocação.
Sozinho não seria possível. A voz não seria ouvida. Os abraços, desperdiçados.
Meus companheiros comungam da dor e da vitória. Juntos.
Em fila. Em posição de respeito. Em pé.
Meus companheiros conduzem uma marcha de justiça.
O direito é para todos. E não há ninguém que não mereça sentar-se à mesa.
É essa a minha escola. É essa a minha luta. A todos o que é de todos. Sem privilégios. Sem predileção.
A fila da comunhão não distingue os bons dos maus. São todos bons e maus dependendo dos amigos. Dos que ensinaram e ensinam. Dos que amaram e amam.
Celebro a amizade como um amor que não se encerra. E preparo-me para recomeços. Sangrando ou não. Sorrindo ou não. Mas acompanhado. De gente e de ideais.
Amanhã, antes da despedida, terei aprendido e ensinado.
Acompanhado. Construído e em construção. Porque não termina nunca... esperança.

Não se envergonhe pelo que falta. Não falta.
As roupas e os enfeites só se distinguem para quem
não compreende.

Diferentes e iguais

Fiz o juramento da justiça e da justiça não abro mão.
Ser justo é compreender que a cada um é reservado o melhor.
Os que humilham, os que tripudiam, os que rejeitam desper-
[diçam o melhor.
O melhor é estar junto. Diferentes e iguais. Juntos. Um mun-
do em construção. Operários em ação. Juntos.
Cumprirei até o fim esse juramento. Mesmo que outros não o
façam. Um dia, farão. É o meu sonho.

O menino e os ratos

Não havia luxo, nem limpeza, nem sequer a promessa de um
[futuro.
Havia um menino e alguns ratos.
Havia uma mulher que gemia de dor e um homem que,
alheio a tudo, dormia. Barulhento.
Restos de comida compunham o cenário.
Restos de esperança também.
E o menino? Silêncio.
A casa quase não era. O terreno era cheio da água podre de
um rio que já não era.
O lugar ninguém via. Nem o menino. Nem o homem. Nem a
mulher.
Viam os ratos, só se incomodassem...

Devolvam

Roubaram o meu sorriso. Sequer pediram autorização.
Chegaram barulhentos, corpulentos, violentos e lá se foi o
meu sorriso.
Pegaram-me desprevenido. Assaltaram-me. E eu tive de entregar aos intrusos o que de melhor eu tinha.
E partiram.
Para quem eu devo dar parte?

Nada

Não sirvo mais para a felicidade. O melhor de mim se foi.
Peço desculpas pela aparência.
É que violentaram a minha tela.
Não faço mais arte. Desisti. Os admiradores partiram assim
que souberam da solidão involuntária.
Clamei por um que me reconduzisse à vida. Ensurdeceu-se
depois de ouvir as opiniões. E partiu.
E assim foram os outros. Eu já nada tinha para oferecer.
É sempre assim.
Depois que o sol se vai, não há ninguém que fique para fazer
companhia no duro crepúsculo.
E foi tudo tão rápido.

Despreparo

Estúpido poder que atrai, trai e parte.
Partem todos os que se fartaram. Faltam quando nada mais há.
Se um dia houve, há. Se não há, é porque faltou.
Dos deslumbramentos aos debulhamentos.
E... fim.

Um sentimento

Há um sentimento valente que não aceita imposições e que brada por um sol que banhe a todos.

Um sentimento que se ergue contra a injustiça e contra os preconceitos todos que enfeiam as pessoas e os trajetos.

Um sentimento que caminha decidido a não se acostumar com a paisagem errática. Que, inquieto, faz o que tem de ser feito.

Um sentimento que volta às origens e celebra o tempo quando se banhavam nas mesmas águas os distantes e os de perto, os falantes e os quietos.

Um sentimento que une, que eleva, que canta a canção da vida sem tempo para o desnecessário.

Há um sentimento valente que vai à frente, derrubando muros, enfrentando feras e vencendo. Porque é assim que foi projetado desde sempre, que foi pensado, que foi desejado.

Se algo se perdeu, se partiu; tem, esse sentimento, o poder de encontrar, de restaurar.

Se demorar, faz parte... não faz parte desanimar.

Sou um homem brasileiro

Sou um homem brasileiro,
nasci mestiço, cresci arisco.
Sofri, sorri, sobrevivi.
Sou um homem brasileiro,
minha pele é queimada de sol, meus pés, rajados de pedra.
Minhas mãos não hesitam em enlaçar. Negros ou brancos,
mulheres ou homens, velhos ou jovens. Livres. Livres para
andar juntos, diferentes.
Sou um homem brasileiro, feliz por vocação, companheiro
por necessidade, solidário por opção.
Percorro do Sul ao Norte, entro em rios e escalo montanhas.
Conheço o mar e os seus segredos. Convivo com os tímidos e
com os outros. E vibro com as gentes e as culturas.
Choro doído pelos que desistem e pelos outros que desistiram deles. Pelos que se escondem e pelos que ninguém vê.
Grito. Clamo. E não desisto.
Sou um homem brasileiro, amigo próximo da valentia, da
bravura. Sou artista e arteiro. Lutador inquieto. O Autor fez o
principal e caprichou. E agora sou eu, brasileiro, o
prosseguidor.
Do Criador à criatura, a intenção está posta. O melhor para
todos. Sem distinção. O amor distribuído, sem reservas. As
mãos estendidas. O braço. O abraço.
Sou um homem brasileiro, graças a Deus.
Sonhador. Fazedor. Sou um homem brasileiro.

Timidez

Eu falava e você me olhava.
Eu olhava e você não me olhava.
Aproximei-me com dizeres soltos e você demonstrou algum
[interesse.
Falei de encontros e você fez um ar displicente.
Depois o silêncio. Depois a concordância.
Data combinada. Ansiedade.
Conversas soltas, tímidas, desajeitadas.

Olhares

Olhares.

Início de dizeres sagrados, segredos. Pausas. Pensamentos distantes. Desejo.

Olhos atentos, prosa, poesia, canção, comoção.

O som do futuro poderia assustar. Era preciso pisar com calma no solo ainda não desbravado.

Paciência. A beleza incômoda de outras histórias. A beleza cômoda de corpos e almas em posição de estar. De tocar. De preencher.

Há vazio nas iniciativas. Mas há promessas de novos saraus. Palavras não faltarão. Quanto ao resto, que estejamos nus, vestidos apenas da timidez do momento ou então da ausência dos sentimentos.

Ontem você atendia e eu esperava. Rondou-me um ávido e tumultuado ímpeto. Súbito invadir e fazer sentir o que jamais, se sentido, se fará esquecido.

Pausa

Descanso agora
Os papéis de hoje estão preenchidos.
Não mais me pertencem.
Que sigam o seu destino.
Que os leitores se incomodem.
Com o dito e com o que falta. E como falta!
Agora é a pausa. Outros papéis surgirão. Na vida e nas minhas mãos.
Espero estar atento ao que devo escrever e ao que vem antes.
De olhares em olhares, vou ruminando canções. Observo o mundo que me cerca sem cercas.
Gosto de ultrapassar os limites que me tentam impor.
Gosto de falar de amor. Sem pretensões de um novo ritmo.
Que sirva apenas para os amantes dos sons e das danças.
Dancemos na canção da vida.
Acompanhados ou nos solos que o solo da solidão afina.
Medo de estar só? Não.
Ou nos acostumamos com os nossos riscados ou será difícil riscar quem nos rasura.
Primeiro, o solo. Depois, a dança a dois ou mais.
Sem os equilíbrios internos, desequilibramos nossos pares.
Pausa.
De papéis, não de pessoas. Nem de mim mesmo. Nunca.

Em www.leya.com.br você tem acesso a novidades e conteúdo exclusivo. Visite o site e faça seu cadastro!

A LeYa também está presente em:

 facebook.com/leyabrasil

 @leyabrasil

 instagram.com/editoraleya

 LeYa Brasil

ESTE LIVRO FOI COMPOSTO EM PALATINO,
CORPO 12PT, PARA A EDITORA LEYA.